suhrkamp taschenbuch 775

Horst Bienek, geboren 1930 in Gleiwitz (Schlesien), lebt heute in Ottobrunn bei München. 1969 erhielt er den Bremer Literatur-Preis, 1978 den Wilhelm-Raabe-Preis und 1981 den Nelly-Sachs-Preis der Stadt Dortmund. Bienek war Schüler von Bertolt Brecht, wurde 1951 in Ostberlin verhaftet und verbrachte vier Jahre in einem stalinistischen Arbeitslager in Workuta/Sibirien. Seitdem intensive Beschäftigung mit russischer Literatur und Philosophie. *Traumbuch eines Gefangenen*, Gedichte und Prosa; *Die Zelle*, Roman; *Gleiwitzer Kindheit*, Gedichte aus zwanzig Jahren; *Solschenizyn und andere*, Essays; seit 1973 Arbeit an einem Roman-Zyklus, der deutsche Geschichte im Zweiten Weltkrieg, vom Rande aus gesehen, und die eigene Kindheit beschreibt; bisher sind erschienen: *Die erste Polka*, *Septemberlicht*, *Zeit ohne Glocken*.

Bakunin, eine Invention ist keine Biographie im üblichen Sinne; ein Student, ein Protestler von 1968, will genauer wissen, was es mit dem Anarchismus auf sich hat, er geht auf der Suche nach Bakunin in die Schweiz, forscht seinen Spuren nach, seiner Wirkung, seiner Philosophie der Revolte.

»Das ist nicht allein Dokumentation, nicht Erkundung, auch nicht Roman; die Fakten drängen bei Bienek der Erfindung entgegen – da erst erschließen sie sich ganz, das Konkrete wird Poesie.«

Günter Blöcker

Horst Bienek

Bakunin, eine Invention

Suhrkamp

Umschlagfoto: Isolde Ohlbaum
Frontispiz: Michail Aleksandrowitsch Bakunin
Foto: Instituut voor Sociale Geschiedenis, Amsterdam

suhrkamp taschenbuch 775
Erste Auflage 1982

Lizenzausgabe mit freundlicher Genehmigung des
Carl Hanser Verlags, München, Wien
Suhrkamp Taschenbuch Verlag

Druck: Nomos Verlagsgesellschaft, Baden-Baden
Printed in Germany
Umschlag nach Entwürfen von
Willy Fleckhaus und Rolf Staudt

Die Geschichte [dieses Buches]
kommt darauf hinaus,
daß die Geschichte,
die [in ihm] erzählt werden soll,
nicht erzählt wird.
Robert Musil

Was Bakunin und seine Zeit vielleicht etwas vernachlässigt haben, das wird an allen Enden betrieben: es wird gebaut. Es ist notwendig zu bauen, wer wollte es leugnen; es ist nebenbei aber auch so bequem und so ungefährlich, und bietet so viele Schutzhüllen für die kleinen Verlaufenen, die irgendwo unterkommen müssen. Es wird gebaut, ohne schaffende Lust. Unsere Zeit will nichts davon wissen, daß man groß bauen muß, und daß die großen Baumeister auch immer die großen Zerstörer gewesen sind.

Gustav Landauer

Seit Bakunin hat es in Europa keinen radikalen Begriff von Freiheit mehr gegeben.

Walter Benjamin

September war es und es regnete leicht, die Dächer glänzten naß und die Straßen waren leer und ohne Schatten, das ging schon seit Tagen so, es bewegte sich nichts, nur manchmal blinkten die Blätter, die schweren Tropfen fielen herab. Weit die Geräusche der Straße und weiter die Geräusche der Eisenbahn, nah die Schritte im Zimmer, seine eigenen Schritte, näher das Rutschen der Finger auf dem Marmortisch, das Anreißen eines Streichholzes, das Umschlagen einer Buchseite, das Gleiten des Kugelschreibers auf Papier, und das Echo davon, das kaum hörbare Echo der Schritte der Finger des Streichholzes des Papiers des Kugelschreibers, das er früher nie gehört hatte, erst die Stille der Tage Stunden Minuten Sekunden hatte es ihn gelehrt. Wenn es so weiterginge, würde er irgendwann auch das Echo des Echos dieser Geräusche hören; er wünschte so sehr, kein Tag wäre wie der andere und keine Nacht wie die vorhergehende und kein Morgen wie das Gestern, er wollte sich entziehen den Wiederholungen, denen er doch nicht entfliehen konnte, sie holten ihn wieder ein, die Wiederholungen, die Wiederkehr von etwas Bekanntem, die Wiederkehr von etwas Vertrautem, die Wiederkehr von etwas Verhaßtem, das alles spielte sich ohne sein Zutun ab und – zugegeben – ohne seinen Widerstand, er hatte es aufgegeben, sich zu wehren, er ließ es eindringen, einstürzen, einfluten, bis es ihn überschwemmte mit Stille oder mit Geräuschen oder mit Wiederholungen.
Das ging schon seit Tagen so.

Er war nach Neuchâtel gekommen, es war im September, und es regnete leicht.
Hier ist Ruhe. Hier ist die Luft gut. Hier kann man gut essen. Hier kann man am See spazieren gehen. Hier kann man Möwen füttern. Hier kann man Bergtouren machen. Hier ist man in dreißig Minuten mit der Funiculaire auf dem Chaumont (1170 m). Hier geben einem die Polizisten freundlich Auskunft. Hier sind die Läden bis sieben geöffnet. Hier gibt es siebzehn Hotels. Hier gibt es ein Theater. Hier gibt es sechs Kinos.
Ein berühmter Stückeschreiber wohnt hier.
Hier werden Kongresse veranstaltet. Hier findet Ende September das größte Weinfest der Schweiz statt. Hier gibt es eine Briefmarkenmesse. Hier muß man mit den Bewohnern französisch reden; selten spricht man hier deutsch. Hier ist die Post pünktlich. Hier hält der D-Zug nach Basel. Hier tanzt man auf einem Schiff unter einem Baldachin. Hier sind die Nächte langweilig. Hier gibt es eine Universität. Eine Rue de Bakounine gibt es hier nicht.
Alles ist ruhig hier.

Wir sind nach Neuchâtel gekommen
es war September und
es regnete leicht
so vergehen die Sätze
so verblassen die Wörter
Gegenwart war einmal und
jetzt ist die Zukunft schon Vergangenheit
die gleichen Wörter und die anderen Bedeutungen
es bleibt der Zweifel

(zum Beispiel der Zweifel und vor allem der Zweifel)
mehr davon wir lernen nicht aus
die gleichen Bilder und die anderen Bedeutungen
es bleiben die Wörter die Bilder

Angekommen in einer Stadt
unaufgefordert uneingeladen ungekannt
wir erforschen die Straßen
wir erkunden die Parks
wir entdecken die Kneipen
wir frieren in Hotelzimmern
wir langweilen uns beim Zeitunglesen
wir schlafen in schlechtgelüfteten Kinos
wir verraten uns im Blick eines Uhrenverkäufers
wir begraben uns mit der Dunkelheit der Stadt

Wir finden Zeichen wir vernehmen Signale
ein gebrochener Zweig ist etwas vertrautes
ein ankommender Bus
mit Arbeitern vollgestopft aus den Vorstädten
eine Kastanie die aufplatzt
eine Versammlung von Neugierigen
das Heulen einer Polizeisirene die Spülung eines Klosetts
the cry of the people for meat
die Geräusche machen es daß wir nicht versinken
daß wir nicht aufgeben
daß wir nicht sterben
wir gehen am Abend auf die Straßen
wir rufen
wir fragen in den Bibliotheken
wir suchen bei den Uhrenarbeitern
im Syndikat
in den Gaststuben

in den Pissoirs
wir erreichen ihn nicht
wir geben unsere Gesten preis
wir sehen aus den Fenstern des Terminus
da ist nichts als Zukunft die blanke Zukunft
allein seinen Namen
finden wir auf einem weißen Stein in Bremgarten

Wir bleiben in der Stadt
wir verwalten seine Wörter
die gleichen Wörter und die anderen Bedeutungen
wir sind (angekommen) in Neuchâtel
es ist September und
es regnet leicht

Er notierte für später:
Dem Begriff Anarchismus den Makel des Schimpfworts nehmen. Untersuchen, wann das aufkam. Dabei die Rolle von Marx klären. (*Anarchie, das ist das große Paradepferd ihres Meisters Bakunin, der von allen sozialen Systemen nur die Überschriften aufgenommen hat.* Im Privatzirkular des Generalrats der Internationale 1869.) Die Verfolgungen der Anarchisten unter Alexander III. und Nikolaus II. Die Vermischung/Verwechslung der Anarchisten mit den Terroristen. Lenins Angebot zur Mitarbeit. (*Wir billigen ihre Methode nicht, aber wir achten sie hoch wegen ihres Opfermuts und ihrer Treue.* Lenin 1918) Zugleich seine Pressekampagne gegen den Anarchismus. Besonders eingehen auf die Abschlachtung der Anarchisten- und Syndikalistenführer in der Nacht vom 14. zum 15. Mai 1918 in

Petrograd unter Bela Kuhn. Petrograder Bluthochzeit. Trotzkis erbarmungsloser Kampf gegen Machno. (Darüber gibt es wenig Material. Bei Rocker und Hobsbawm nachlesen.)

Er konnte ein Buch lieben wegen eines einzigen Satzes. Er konnte aber auch ein Buch verachten wegen eines einzigen Satzes. Er trug ein Buch mit sich herum, in dem er folgenden Satz gefunden hatte: *Einen Satz sagen, und ihn dann mit der Wirklichkeit vergleichen, ihn gegen die Wirklichkeit verteidigen.* Das las er immer wieder. Freilich, wenn ihn jemand gefragt hätte, wer das geschrieben habe, hätte er vorher noch einmal auf den Umschlag sehen müssen, um richtig zu antworten. Aber es fragte ihn ja niemand.

Erzählte jemand etwas, was ihm nicht gefiel (oder was er für unglaubwürdig hielt), fragte er stets: wer hat das gesagt? Erzählte jemand, was ihm gefiel (oder was er bestätigen konnte), schwieg er. Wenn er selbst etwas sagte, sagte er zuerst: Unterbrecht mich sofort, wenn euch etwas nicht gefällt. Wartet nicht bis zum Ende des Satzes. Öffentliche Reden haßte er. Monologe auch.

Er hatte in den Erinnerungen der Vera Figner gelesen (die am Attentat auf Alexander II. beteiligt war und dafür zweiundzwanzig Jahre lang in der Schlüsselburg einsaß) und er war so überwältigt von der Aktualität dieser Sätze, daß er ständig Unterstreichungen machte, obwohl es ein Exemplar aus der Stadtbibliothek von St. Gallen war, der Biblioteca Vadiana. Er hatte an einen Verlag in München geschrieben und den Vorschlag einer Neuausgabe gemacht, aber es wurde abgelehnt. Da schrieb er an eine Buchhändlerin in Berlin, er wußte von ihr, daß sie Kontakt mit Leuten hatte, die Raubdrucke machten. Sie hatte ihm nicht geantwortet. Vielleicht waren Briefe verlorengegangen. Er hatte inzwischen zweimal seine Wohnung gewechselt.

Er wohnte jetzt bei einer Madame Niclos in der Rue de Neubourg 7, mitten in der Stadt, er liebte diese engen schmutzigen Straßen, die Rue de Chavannes, die Rue de Boucheries, die Rue de Fausses Brayes, besonders die Rue du Temple neuf, aber die vielleicht nur des Namens wegen, es war so ziemlich das ärmste Quartier von Neuchâtel, es sollte in der nächsten Zeit abgerissen und saniert werden. Das Zimmer kostete 100 Franken, das war immer noch teuer genug, aber dafür durfte er das Bad mitbenutzen (nicht zuletzt deswegen ist er aus der letzten Wohnung ausgezogen). Außerdem lud Madame Niclos ihn des öfteren zum Abendessen ein. Sie war zuckerkrank: fast immer gab es ungesalzenen Fisch (blau); fast immer schlief sie nach dem Essen ein (am Tisch). Manchmal mitten in einem Satz. Sie unterbrach sich, sie starrte ihn lange an und mit abwesendem Blick, der Kopf fiel herunter, im letzten Moment von einer Hand aufgestützt. So verharrte sie dann, unbeweglich. Der Blutzukker, sagte sie einmal entschuldigend, als er neben ihr fünfzig Minuten geduldig gesessen und sich nicht gerührt hatte, der Blutzucker baut abends rapide ab, das macht müde. Fortan, wenn diese Situation eintrat, stand er auf und ging in sein Zimmer. Er las weiter in den Erinnerungen der Vera F. *Gewalt und Terror empfand er* (wie sie) *als eine Gewissenslast, zugleich aber als eine traurige Notwendigkeit.*

Um fünf Uhr abends erschienen Suchanow, Gratschewski und Kibaltschitsch in unserer Wohnung, um die ganze Nacht an der Fertigung der Bomben zu arbeiten. Am Abend überredete ich die Perowskaja, schlafen zu gehen, damit sie morgen im Besitz ihrer Kräfte wäre, ich selbst arbeitete mit den drei Männern bis zwei Uhr nachts mit. Die ganze Nacht brannten die Lampen und das Feuer im Kamin; die Männer arbeiteten die Nacht hindurch. Als Perowskaja und ich um sieben Uhr erwachten, waren zwei Bomben fertig. Perowskaja trug sie in die Wohnung Sablins in der Teleschnaja; dann ging Suchanow fort; schließlich half ich Gratschewski und Kibaltschitsch, die zwei übrigen Blechbüchsen mit Explosivstoff zu füllen, und Kibaltschitsch trug sie fort. Am 1. März um 8 Uhr früh, nach fünfzehnstündiger Arbeit von drei Personen, waren vier Bomben fertig. Um 10 Uhr kamen in die Wohnung Sablins: Ryssakow, Grinewitzki, Jemeljanow und Timofej Michailow. Perowskaja gab ihnen genaue Anweisungen, wo sie stehen und, nachdem der Zar vorbei sein werde, zusammentreffen sollten.

Laut Anordnung des Komitees sollte ich am 1. März bis 2 Uhr nachmittags zu Hause bleiben, um die ›Kobosews‹ bei mir zu erwarten. Es war nämlich verabredet, daß Bogdanowitsch eine Stunde ehe der Zar die Straße passiere den Laden verlassen solle, Jakimowa aber sofort nach dem Signal, daß der Zar auf dem Newski-Prospekt gesehen sei. Der elektrische Strom sollte von einem Dritten eingeschaltet werden, der das Geschäft als Fremder verlassen sollte, falls er nicht unter den Trümmern des Hauses zugrunde ginge.

Weder Bogdanowitsch noch Jakimowa waren gekommen; Issajew kehrte dagegen mit der Nachricht zurück, daß der Zar die Sadowaja nicht passiert habe, sondern direkt aus dem Tattersall nach Hause gefahren sei. Ich ging von Hause fort mit der Über-

zeugung, daß das Attentat infolge irgendwelcher unvorhergesehener Umstände nicht zur Ausführung gekommen sei.

In Wirklichkeit schlug der Zar einen anderen Weg ein, aber hier zeigte die Perowskaja, wie sehr sie Herrin der Situation war. Sie erfaßte sofort, daß der Zar auf dem Rückweg den Katharina-Kanal entlang fahren werde, und beschloß, nur mit den Bomben vorzugehen. Sie ging zu den Bombenwerfern, wies ihnen ihre neuen Plätze an und verabredete mit ihnen, daß sie das Signal durch Winken mit ihrem Taschentuch geben werde.

Gegen 2 Uhr erfolgten nacheinander zwei Detonationen, die an Kanonenschüsse erinnerten: die Bombe Ryssakows zerschmetterte die Kutsche des Zaren, die Bombe Grinewitzkis traf den Zaren selbst. Einige Stunden später waren sowohl der Zar wie Grinewitzki tot.

Als ich nach Issajews Rückkehr auf die Straße ging, war dort alles still. Aber eine halbe Stunde später, als ich bei Uspenski war, kam Iwantschin-Pissarjew mit der Kunde herauf, daß in der Stadt Explosionen erfolgt seien, daß der Zar getötet sei, und man in den Kirchen schon seinem Nachfolger den Eid leiste.

Ich stürzte fort. In den Straßen sprach die erregte Menge vom Zaren, von seinen Wunden, von Blut und Tod. Ich kehrte heim, die Freunde hatten von den Vorgängen noch keine Ahnung, und ich konnte vor Erregung kaum hervorbringen, daß der Zar getötet sei. Ich weinte, ebenso die anderen; der Alp, der jahrzehntelang auf dem jungen Rußland gelastet hatte, war beseitigt.

Dieser Moment, das Blut des Zaren, rächte die Greuel der Gefängnisse und der Verbannung, die Grausamkeiten und Gewalttaten, die an Hunderten und Tausenden unserer Gesin-

nungsgenossen verübt worden waren; eine schwere Last fiel von unseren Schultern, die Reaktion (so schien es uns) mußte nun endlich der Arbeit zur Erneuerung Rußlands weichen.

In diesem feierlichen Moment waren alle unsere Gedanken dem künftigen Wohl unseres Vaterlandes gewidmet.

Er dachte zurück an Frankfurt, an Ulm, an München, an die Happenings und Protestversammlungen, an die Demonstrationen, bei denen er dabei gewesen war. Er dachte zurück an den Augenblick, als sie in der Akademie in München die schwarzen Plastikfahnen hißten. Da war etwas in ihm, das ihn erregte; ein Gefühl der Befreiung. Er wollte schreien. Er wollte singen. Er wollte ficken. Er wollte tausend schwarze Fahnen auf allen Masten der Stadt hochziehen. Damals. Aber die andern standen nur da und sagten nichts und warteten (beinahe ergriffen wie es ihm jetzt vorkam), bis die schwarzen Fahnen oben am Mast angekommen waren. Dann klatschten sie Beifall. Danach formten sich ein paar Sprechchöre gegen den Kultusminister, gegen die Hochschulgesetze, gegen Kunstmanipulation, zaghaft erst, dann lauter, und er schrie mit. Er wünschte damals, daß das Leben aus solch aneinandergereihten Augenblicken bestehen müßte ... Jeder für sich war kläglich ... aber sie alle zusammen ... und wieder und immer wieder ...

Jetzt gestand er sich ein, daß dies (und noch ein paar andere, ähnliche) die einzigen Augenblicke von Revolution waren, die ihm zuteil geworden sind.

Kalm sagte damals: diese Augenblicke leben, eine Existenz daraus machen, das ist das einzige, was wir heute können. Die praktische Revolution, die werden wohl die andern machen ... Kalm wurde ausgepfiffen; er trat ab. Er machte YESNO, eine literarische Zeitschrift, die nach drei Nummern einging, er schrieb für Burs den Text zu einem Film. Später wurde er in einem Café wegen Rauschgifthandel verhaftet, aber bald danach wieder freigelassen.

Die Theorie der Gewalt Die Theorie der Aggression Die Theorie der Zerstörung Die Theorie der Veränderung Die Theorie des Aufstands Die Theorie des Staatsstreichs Die Theorie der Revolution Die Theorie des neuen Menschen Die Theorie der Theorien: Nein: Die praktische Praxis

DER ANARCHISMUS SCHAFFT NICHT SO SEHR EINE REVOLUTIONÄRE ORGANISATION ALS EINE REVOLUTIONÄRE SITUATION

Franco Venturi

Der Aufstand in Bologna. Hier waren Nachforschungen anzustellen. Zuviel war bisher im Dunkel geblieben. Was war dort mit B geschehen? Warum hatte er so viel Hoffnungen in diese Erhebung gesetzt – und warum endete sie so katastrophal?
Die gedruckten zugänglichen Quellen waren wider-

WANDINSCHRIFTEN IN DER AKADEMIE FÜR BILDENDE KÜNSTE MÜNCHEN
ABGESCHRIEBEN AM 17. JULI 1969
EIN TAG VOR DER VOM LANDTAG (MIT ZUSTIMMUNG ALLER PARTEIEN)
ANGEORDNETEN SCHLIESSUNG

Geh auf die Straße
und schlage dem er
sten Menschen der
dir begegnet und
über dreißig ist ins
Gesicht Es wird
in jedem Fall rich
tig sein.

Der OWI ist unter
uns.

Kunst und Anarchie
ist dasselbe.

Schlagt die Profes
soren wo ihr sie
trefft!

Zum Kritischen Ate
lier folgt dem OWI
Mann.

Fickt den Kultusmi
nister in den Mund

Die Lust an der Zer
störung ist eine
schöpferische Lust

Organisiert den Wi
derstand!

Vive l'Anarchie!

sprüchlich. Nach *Steklow* war B den jungen Revolutionären unbequem geworden. Sein unerbittlicher Haß gegen die Marxsche Verschwörung in der Internationale machte jede Geste der Versöhnung unmöglich. Auf das Ziel der Zusammenarbeit mit der mächtigen Internationale arbeitete eine Gruppe hin. Ihr Idol war immer noch B, daran gab es keinen Zweifel und daran durfte es auch keinen geben. Aber um den Glauben an ihn und seine revolutionäre Sache zu behalten, beschlossen sie, ihn zu opfern. Wer zuerst auf diese Idee kam, war jetzt nicht mehr herauszufinden. Wahrscheinlich Cafiero selbst. B sollte auf den Barrikaden eines Aufstandes fallen und ein Fanal für die revolutionäre Welt abgeben. (*Eine große Idee braucht Märtyrer*, hatte B in einem Brief an Reclus geschrieben.) Nach *Nettlau* drängte B selbst zu dem Aufstand in Bologna. In der Emilia waren die Bakunisten am stärksten (zusammen mit einer extremen Gruppe der Mazzinisten) und am militantesten vertreten. Deshalb war die Emilia auch von den Tessiner Revolutionären ausersehen, den Anfang zu machen mit einer allgemeinen Erhebung aller patriotischen Kräfte Italiens.

Er hatte ein Leben lang die Philosophie der Tat gepredigt – und war in der Literatur, in der Theorie steckengeblieben. Er wollte mehr sein als ein Gegenspieler von Marx. Nicht von einem entfernten Ort, von London z. B., die Opfer der Pariser Kommune für sich und seine Idee in Anspruch zu nehmen. Er wollte unter ihnen sein, unter den Revolutionären, wenn sie Revolution machten. Und das war das einzige, worum es ihm ging. Es ist nicht auszuschließen, daß der Aufstand in Bologna gerade auf Drängen Bs früher stattgefunden hat als ursprünglich geplant war. Er hoffte, auf den Barrikaden der Revolution zu sterben. Früher, in Prag, in Dresden, in Lyon, hatte er davon geträumt, auf den Barrikaden der Revolution zu siegen. Jetzt resignierte er. Er sprach mit niemandem darüber. Aber er war sich dessen bewußt, daß die Große Zeit für die Große Revolution noch nicht reif war. Er hatte lange darüber nachgedacht und es war ihm klar geworden, daß er sie nicht mehr erleben würde. Daß er aber vielleicht durch seinen Tod dazu beitragen könnte, die revolutionäre Sache zu beschleunigen.

Er fand das in keinen Büchern, Akten oder Papieren, aber ihm war klar, daß B in dieser Situation Angst haben mußte. B besaß jetzt ein Haus in Locarno, er besaß Erde, er sah vor seinem Haus die ersten Blumen und Sträucher wachsen, die er selbst angepflanzt hatte. Er konnte über die Straßen gehen und niemand verfolgte ihn. Er hatte Freunde, die ihm zuhörten. Er hatte Schüler, die seine Ideen weitertrugen. Es waren über fünfundzwanzig Jahre vergangen, seit der Zeit, da er in Prag und Dresden auf die Straße gegangen war und Barrikaden gebaut hatte. Er hatte sein Leben der Revolution geweiht, aber die Revolution hatte es nicht angenommen. Jedenfalls nicht im Sieg.
Da waren seine Kerkerjahre in Königstein, in Radebeul, in Olmütz, die Auslieferung an Rußland, die Leiden in der Schlüsselburg und schließlich die Verbannung in Sibirien. Damals hatte er keine Furcht gekannt. Jetzt war es anders. Jetzt war er alt geworden, er war einundsechzig, er litt an der Prostata und hatte mit Herzasthma zu tun. Er sehnte sich nach Ruhe. Seinem Freund Aga (Ogarjow) zitierte er ein altes russisches Sprichwort: *Du hast abgeläutet. Herunter vom Turm!*

Am 17. Juni 1874 machte sich B von Locarno aus auf den Weg nach Bologna. Er mietete sich, in der Stadt angekommen, in das Albergo del Sole ein, ein kleines, unauffälliges Gasthaus, nicht weit entfernt vom Municipio. Verabredet war, wie er aus Notizen von Bellerio ersehen konnte, daß eine Gruppe Aufständischer auf dem Weg zum Stadthaus an diesem Gasthaus vorbeimarschieren und dabei eine Triole pfeifen sollte; etwa eine Stunde vor Mitternacht. B sollte sich dort der Gruppe anschließen und nach der Besetzung des Stadthauses eine Proklamation verlesen.

So war es wohl gewesen:
B in der verräucherten Gaststube, allein an einem Tisch, etwas abseits, unruhig, schreibt er die Proklamation auf, während an den anderen Tischen Handwerker und kleine Kaufleute sich gegenseitig zuprosten, Domino spielen oder sich grobschlächtige Witze erzählen. Bs Nervosität steigert sich von Stunde zu Stunde, und als es halb elf ist, von Minute zu Minute. Kurz vor elf springt er vom Tisch und läuft in der Gaststube hin und her, am liebsten würde er schon jetzt, hier in der Schänke, die Revolution ausrufen und den hier Anwesenden vertraulich mitteilen, ihnen würde nichts geschehen, sie alle stünden unter seinem persönlichen Schutz. Jetzt geht er erst einmal vor die Tür, aber draußen ist es ganz still. Er geht noch einige Male vor die Tür, so daß die andern schon ein wenig verwundert zu ihm sehen, wenn er die Tür aufmacht. Er lauscht: draußen, die Straße, ist leer, und man hört keinen Lärm, auch nicht aus der Ferne. Als der Wirt um halb eins, nachdem der letzte Gast ge-

gangen ist, die Gaststube schließen will, geht B nur widerstrebend auf sein Zimmer – er ist so erregt, daß beim Sprechen sein Bart zittert. Er bittet den Wirt um einen Hausschlüssel, damit er, falls das Signal verspätet ertönt (zu welcher Nachtstunde auch immer), sofort auf die Straße eilen kann. Kopfschüttelnd händigt ihm der Wirt einen Schlüssel aus. B lauert bis zum frühen Morgen in seinem Zimmer hinter den Fenstern, aber draußen bleibt es still.
Zwei Tage und zwei Nächte verbringt er in diesem Hotel. Seine anfängliche Erregung hat einer gewissen Gleichgültigkeit Platz gemacht. Er bleibt in seinem Bett und geht nur zu den Mahlzeiten herunter.

Fragen: Was mag er in dieser Zeit gedacht haben? Was gesehen? Was erlebt? Was geträumt?

(Was erlitten?)

Am dritten Tag in der Frühe erscheint vor dem Albergo del Sole ein Bauer aus der Emilia und fragt nach Signore Fabrizzi, unter dessen Namen sich B im Gasthof eingetragen hat. B kommt schwankend die Treppe herunter. Er hustet, sein Gesicht ist fahl und eingefallen. Er sagt kein Wort, er sieht den Bauern nur an. Der flüstert ihm zu, er sei beauftragt, den Signore an die Grenze zu bringen. Er führt ihn in eine Nebenstraße zu einem Heuwagen. Der Bauer bedeutet ihm, er müsse sich im Heu verstecken, sonst kämen sie nicht durch die Straßenkontrolle, mit seinem gewaltigen Bart würde er sofort erkannt und verhaftet. B wehrt zunächst entsetzt ab. Aber dann, als auf der Straße niemand zu sehen ist, kriecht er ins Heu.

In Chiasso überschreitet er die Grenze in der Kleidung eines katholischen Priesters. Jetzt erst erfährt er, auf welche Weise der Aufstand in Bologna gescheitert ist. Schon einige Tage vorher wurden 28 Mazzinisten in der Villa von Ercole Ruffi, in der Nähe von Rimini, verhaftet; wahrscheinlich durch Verrat. Die Revolutionäre aus der Emilia waren erst gar nicht gekommen, und dabei hatte man mit Tausenden gerechnet. Nur ein paar Insurgenten lieferten sich kleinere Gefechte am Stadtrand; als sie Widerstand spürten, zogen sie sich zurück.

Das war alles.
Als B das erfuhr, soll er geweint haben.

Die italienischen Geschichtsbücher verzeichnen keinen Aufstand in Bologna im Jahre 1874.

Die Revolution hat die sterblichen Überreste von B nicht gewollt. Mehrere Anträge, Bs Sarg nach Moskau oder Prjamuchino zu überführen, wurden von der Sowjet-Regierung abgelehnt. Eine Delegation von Anarchisten aus der Schweiz erhielt im Februar 1921 befristete Einreise in die Sowjet-Union, um am Begräbnis von Fürst Kropotkin teilzunehmen. Damals wurden zum letzten Mal die schwarzen Fahnen der Anarchisten durch die Straßen von Moskau getragen.

Zwei Wochen nach dem Tod von Kropotkin brach der Kronstädter Aufstand aus.

Das Grab von B liegt auf dem Friedhof Bremgarten in Bern. Als es 1966 aufgelassen werden sollte, hat der Werbefachmann Paul Gredinger es auf fünfzig Jahre gepachtet. Auf dem Grabstein steht in lateinischer Schrift

MICHEL BAKUNIN
1814–1876

RAPPELEZ VOUS
DE CELUI QUI SACRIFIA
TOUT POUR LA LIBERTE
DE SON PAYS

Noch lebende Verwandte von B konnte er nicht ausfindig machen. Eine Tochter ist, hochbetagt, in den Fünfziger Jahren in der Nähe von Neapel gestorben. Die Spur des Sohnes, des Fürsten Luigi Bakunin, hatte sich verloren... er hatte einen Brief gefunden aus dem Jahre 1932, in dem Luigi gegen den Roman *Il diavolo al Pontelungo* von Riccardo Baccheli protestiert hatte, weil der Verfasser – nach seiner Meinung – darin das Leben seines Vaters verfälscht habe. Durch den Bibliothekar hatte er in Erfahrung gebracht, daß in Neuchâtel ein Verwandter von James Guillaume wohne (zeitweilig einer der engsten Mitarbeiter von B), der Maler Guillaume Guillaume, vielleicht konnte er bei ihm etwas Neues erfahren. Im Telefonbuch war er nicht zu finden. Im Stadthaus gab man ihm seine Adresse, aber erst nachdem er sich ausgewiesen hatte. G. G. wohnte außerhalb der Stadt in La Coudre. Da er kein Telefon hatte, meldete er seinen Besuch mit einer Postkarte an. Dann fuhr er – es war an einem Sonntag-Nachmittag – zu ihm, mit dem Elfer bis zum Chemin de la Chable, von da mußte er noch ein Stück zu Fuß gehen bis zum Chemin des Ruillières. Dort hörten die Häuser auf und die Straße mündete in einen reinen Fußweg, der durch den Bois l'Abbé zum Chaumont führte. Er glaubte schon, er wäre zu weit gegangen, als er zwischen niedrigen Bäumen und hochgewachsenen Hecken das Haus entdeckte, eine umgebaute Baracke oder eine Art Gartenhaus, von einem Drahtzaun eingezäunt. Er suchte nach einer Klingel, fand aber keine, und da die Tür verschlossen war, blieb ihm nichts anderes übrig, als zu rufen. Nach einer Weile kam ein alter Mann aus dem Haus, dem zögernd zwei Katzen nachfolgten. Als er das Gartentor aufschloß, stellte er sich vor. Der Alte nickte nur und winkte ihn mit einer Kopfbewegung herein. Er nahm eine Katze vom Boden auf, die andere lief ihnen voraus ins Haus. Er folgte dem Alten. Von außen hatte das Haus ein wenig verwahrlost ausgesehen, provisorisch, so als könne man nur vorübergehend darin wohnen. Als er eintrat in den Wohnraum, war er vom Gegenteil überzeugt: es schien ihm, als habe sich hier seit Jahrzehnten nichts verändert, als sei alles für die Ewigkeit zurechtgemacht, die Möbel grob und schwer und unverrückbar, ebenso die Gegenstände auf dem Tisch, ein Aschenbecher, eine Vase, eine große, dickbauchige Weinflasche, ein Tiegel, ein Becher; sie alle rauchgeschwärzt und wie aus schwerem Metall. Er folgte der Aufforderung des alten Mannes und setzte sich hin, aber er wäre nicht auf die Idee gekommen, den Sessel an den Tisch heranzurücken oder umgekehrt, den Tisch seinem

Sitz zu nähern. Nicht einmal den Aschenbecher schob er näher zu sich heran, als er sich eine Zigarette angezündet hatte. Die Dinge hier schienen festgemacht; unveränderlich. Es erstaunte ihn beinahe, daß der Maler sich vorwärtsbewegte, während er den Tee zubereitete, er war groß und stieß mit dem Kopf fast an die niedrige Decke. Seine Sprache war langsam und schwer, er sprach das etwas grob gefärbte harte (und auf der ersten Silbe betonte) Französisch der Jurassier, er liebte es, lange Pausen zu machen. Zuerst hatte er da hinein ein paar Sprachbrocken geworfen, Sätze des Übergangs, aber der Maler hörte nicht darauf...bis er begriff, daß die Pausen zu seiner Sprache gehörten.

Guillaume erzählte Belanglosigkeiten. Fast nichts über B. Ein paar Sätze über seinen Onkel James, den er in Erinnerung hatte, am Schreibtisch sitzend und schreibend oder das Klavier bearbeitend (er sagte: taper), wobei die Asche seiner Brasil auf die Tasten fiel; oder im Reiseplaid und einem kleinen Koffer in der Hand (car il etait toujours prêt). Er erinnerte sich auch an das Begräbnis, er dachte nach, es war im Jahre 1916, ja, es war Krieg in Europa, ja, das hätte großen Eindruck auf ihn gemacht und das werde er nie vergessen, obwohl er damals noch ein Kind war...Der Alte wies hinter sich auf das Bücherregal, auf eine Reihe von gleich eingebundenen, dickleibigen Büchern, auf deren Rücken der Name JAMES GUILLAUME eingeprägt war. Sie tranken Tee. Er führte die Tasse zum Munde, stellte sie aber rasch wieder zurück, auf die unverrückbare Untertasse auf dem Tisch, aus Furcht, sie würde in seinen Händen haften bleiben und schwer und immer schwerer werden und ihn schließlich auf den Boden herunterziehen. Sogar die Zigarette kam ihm vor wie aus Blei, und der Rauch, den er aus-

atmete, blieb lange und starr in der Luft hängen. Er sah verwundert auf die beiden Katzen, die leichtfüßig dahinsprangen.
Der Maler sprach von seinen Bildern, von denen er eines bereits im Flur gesehen hatte. Hier, im Wohnraum, hingen zwei großformatige rahmenlose Bilder über den Bücherregalen; er betrachtete sie, während der Maler redete. Arbeiter in einer Fabrikhalle, aus deren Köpfen rote Flammen schlugen, bis hochhinauf ins Dachgestänge, eine Taube breitete ihre Flügel aus. Das andere Bild zeigte eine Vorstadtlandschaft, Zäune, Wegschilder, Lichtmasten, ein junger Arbeiter auf einem Fahrrad, daneben ein Mädchen, eine Hand leicht auf die Schulter des Jungen gelegt; beide blickten voneinander weg. Nebenan, es war eine Art Atelier, sah er dann noch eines: ein gekreuzigter Christus in einer Montagehalle, die Arbeiter gebeugt über dem Fließband – keiner bemerkte das Kreuz über ihnen. Die anderen Bilder waren mit Tüchern verhängt. Er wagte nicht zu bitten, die Vorhänge wegzunehmen. Er hätte nicht sagen können, ob die Bilder gut oder schlecht waren. Das Überraschende war, und darüber dachte er noch lange nach, daß die Figuration nur undeutlich zu sehen war, denn der Maler hatte die Bilder, nachdem sie fertig gemalt waren, mit Farbe zugetropft; wie ein Netzwerk breiteten sich Hunderte von winzigen Farbsternen über die Fläche und bestätigten das Motiv, indem sie es zerstörten.
Er wußte nicht, wie lange er bei Guillaume geblieben war, er wußte nur, daß er mehrfach den Versuch gemacht hatte, aufzustehen, aber es gelang ihm nicht, er saß da, gefesselt in dem schweren Sessel, und als er endlich – nach langer Zeit – auf der Straße war, schienen ihm seine Beine wie gelähmt und er konnte sich nur langsam vor-

wärtsbewegen; er glaubte, er habe für den Rückweg bis zur Bushaltestelle doppelt so viel Zeit gebraucht wie für den Hinweg.
Dem Bibliothekar, der ihn später nach Guillaume fragte, sagte er: es war ein Irrtum, der Maler Guillaume Guillaume ist mit James Guillaume nicht verwandt.

Es ginge ihm da um etwas ganz anderes, als um eine gewaltsame Veränderung der Gesellschaft. Den Glauben an eine herrschaftsfreie Gesellschaft habe er schon lange aufgegeben und seine Utopie sei eine ganz und gar andere, die würde kaum jemand begreifen, er habe sie deshalb auch niemals entwerfen wollen, nein, da war etwas andres... was ihn mit den andern verbunden habe, war der Wille zur Aktion, zum Handeln, die *Philosophie der Tat*, obwohl auch das schon wieder ungeheuer pathetisch klinge, aber da war etwas geschehen, was vorher nicht da war und was auch später nicht mehr kam, sie saßen nicht mehr da und rauchten und redeten, sie saßen nicht mehr da und soffen und redeten, sie saßen nicht mehr da und flipperten und redeten, sie gingen jetzt einfach auf die Straße.
(Er zweifelte, ob sie das verstehen können.) Es war das Gefühl, daß sich etwas *verändert* hatte und das fühlten alle gemeinsam und zur gleichen Zeit und von innen: wenn sie, die Arme untergehakt, die Straße vorwärtsstürmten gegen die Polizeikette und gemeinsam die gleichen Silben, die gleichen Worte, die gleichen Sätze skandierten. Ob es das ist, wurde er da gefragt, was die alten Kommunisten oder Sozialdemokraten mit einem Anflug von Schauer aussprachen: Solidarität? Er habe darauf keine

Antwort geben können. Mit Worten wäre das nicht auszudrücken. Bei jedem Wort würde das gewaltige Gefühl der Unmittelbarkeit erstarren zu...Sprachmüll. Seine Utopie sei es vielleicht, die Dinge in der Zerstörung zu sehen – damit man sie neu und schöner machen könne. Das hatte ihn sehr erregt, damals, als er zum ersten Mal ein Bild von Fontana sah, der das Werk erst schuf, indem er es zerstörte, einen tiefen Schnitt hinein tat, mitten in die Leinwand...das sei so eine Art Symbol für ihn gewesen...

...man müsse den Dingen und den Verhältnissen die Kausalität entziehen, sagte er.

Überhaupt: Zuerst müsse man die Sprache befreien.

Ein Zürcher Buchhändler machte ihn mit einem Anarchisten bekannt. Sie trafen sich im Odeon. Protokoll des Gesprächs:

Gibt es heute noch Anarchisten in der Schweiz?

Ja, natürlich.

Wieviele?

Das ist schwer zu sagen. Wir sind nicht mehr organisiert wie früher. Zwei bis dreitausend. Und dann müssen Sie die Sympathisanten rechnen...

Sympathisanten – wer sind die?

Künstler zum Beispiel, die den Kunstbetrieb von heute total ablehnen. Das sind vielleicht keine politischen Anarchisten, aber sie haben mit uns einiges gemeinsam. Golowin zum Beispiel oder der junge Gwerder hier in Zürich...

Ist das nicht etwas allgemein...

Ein Künstler, der etwas ganz Neues will, der muß Anarchist sein. So sehe ich das. Erst aus der Zerstörung der alten Form entsteht eine neue Ordnung, die Kunst ist... Das ist dasselbe, was wir auch politisch wollen. Erst über die Zerstörung kommt man zur Ordnung.

Sie sagen immer ›wir‹!...

Ich meine damit diese Gruppe von...politischen Anarchisten.

Wann ist man heute ein Anarchist?

Das ist schwer zu sagen...

Haben Sie Verbindungen zu sozialistischen Parteien? Sagen wir zur außerparlamentarischen Opposition?

Nein, wir lehnen jede Organisationsform ab. Wir sind nicht autoritär. Wir wissen auch, daß wir im Augenblick zu schwach sind für eine konsequente politische Arbeit. Wir wollen nur Stachel sein. Bakunin hat einmal gesagt: Unsere Aufgabe ist die Zerstörung; danach erst wird es eine wirkliche Erneuerung geben können...

Was haben Sie mit dem Bakunin'schen Anarchismus gemeinsam?

Eine ganze Menge. Freilich kann ich da nur von mir sprechen, denn bei uns gibt es keine philosophische Orthodoxie, kein Dogma, und daher weiß ich nicht, ob meine Freunde auch so denken. Konsequenterweise müßte ich wohl auch immer sagen: ich statt wir... Aber um ein Beispiel zu nennen: seine Theorie der Spontanen Revolution... Sie haben ja gesehen am Pariser Mai, was für eine ungeheure Sprengkraft sie noch heute besitzt... ich glaube, sie hat mehr Chancen als die Lenin'sche Kaderrevolution. Die künftige Revolution wird gewiß eine Spontane Revolution sein, sie wird ganz plötzlich da sein, wahrscheinlich in einem Moment, wo wir alle gar nicht daran denken werden.

Landau hat mir erzählt, daß Anfang des Jahres in das Stadthaus von Zürich zwei Bomben gelegt wurden. Meinen Sie, das waren Anarchisten?

Sicher. Bestimmt. Das erste Prinzip des Anarchismus ist: Die Stadthäuser und Banken in Brand setzen, die Besitzurkunden und Gerichtsurteile verbrennen.

Ich weiß immer noch nicht, wann man ein Anarchist ist... Wenn man Mitglied einer anarchistischen Gruppe ist?

Es gibt bei uns keinen Verein, wo Sie einen Monatsbeitrag zahlen und eine Verbandszeitschrift kriegen und ein Abzeichen... Das gibt es in Frankreich... das ist ganz historisch... Ein Anarchist ist immer allein. Drei sind schon eine sozialistische Sekte...

Anarchismus kann doch eine politische Bewegung sein...

Eine geistige Bewegung! Natürlich, für mich sehe ich das eher praktisch...

...in der Zerstörung?

Ja.

Ist also ein Anarchist jemand, um ein Klischee zu gebrauchen, der Bomben schmeißt...?

Warum ein Klischee?

Ist das so?

...eigentlich ja...

Sie saßen noch eine Zeit zusammen und tranken Tee. Er bat ihn, seinen Namen nicht zu erwähnen.

L'homme revolté est l'homme de la destruction. Die Zeit danach. Nicht mehr der Mythos von Sisyphos. Der Mythos von Prometheus.

Prometheus: der erste Anarchist.
Der erste, der sich gegen die bestehenden Herrschaftsverhältnisse aufgelehnt hat. B versucht Richard Wagner in Dresden zu einer Prometheus-Oper zu überreden.
Ich hatte damals, von der Lektüre der Evangelien angezogen, einen für die ideale Bühne der Zukunft entworfenen Plan zu einer Tragödie ›Jesus von Nazareth‹ verfaßt; B bat mich, ihn mit der Bekanntmachung damit zu verschonen; da ich ihn durch einige mündliche Andeutungen meines Plans dafür zu gewinnen schien, wünschte er mir Glück, bat mich aber völlig inständig, Jesus jedenfalls als schwach erscheinen zu lassen. In betreff der Musik riet er mir in allen Variationen die Komposition nur eines Textes an: der Tenor solle singen: ›Köpfet ihn!‹, der Sopran ›Hängt ihn!‹ und der Basso continuo ›Feuer, Feuer!‹.
R. Wagner: ›Mein Leben‹.

In seiner Verbannung, in Sibirien, soll B angefangen haben, an einem Prometheus-Gedicht zu arbeiten. Die Aufzeichnungen dazu sind verschollen. Jetzt, kurz vor seinem Tode, erinnert sich B wieder daran.
Im Kampf der Titanen um die Herrschaft über Götter und Menschen schlägt sich Prometheus auf die Seite des Zeus. Die Grausamkeit und Willkür des himmlischen Machthabers veranlaßt ihn später, sich zum Anwalt der menschlichen Interessen zu machen. Er raubt das Feuer und bringt es den Menschen, denen es der Gott vorenthalten wollte. Damit bewahrt Prometheus die Menschen vor der Vernichtung und setzt sie instand, sich allmählich von der göttlichen Vorherrschaft zu befreien. Er schafft auf diese Weise überhaupt erst die Grundlagen für die kulturelle Entwicklung der Menschheit.
Zeus läßt daraufhin den Empörer und Menschenfreund an einen Felsen schmieden.
Aber die Macht des Zeus wird eines Tages gebrochen werden,

der Gott wird selber den Gegner zeugen, der ihn vom Thron stürzen wird, und wird lernen müssen, daß zwei Dinge sind. Dieses Wissen des Prometheus veranlaßt Zeus, Hermes als Unterhändler zu senden, dem der Gefesselte aber nur Verachtung entgegenbringt.
Seine Freilassung will der Empörer nicht für den Preis der Knechtschaft einhandeln. Er zieht es vor, eine Verschärfung seiner Strafe hinzunehmen. Unter Donner und Blitz wird er mit dem Felsen in eine Schlucht stürzen, und ein Adler wird ihm täglich seine Leber ausfressen. Die neuen Drohungen beeindrucken Prometheus nicht, es sind Worte; erschüttert wird die Welt aber nicht durch Worte, sondern durch revolutionäre Taten, deren erste und entscheidende seine Handlungsweise ist. Zeus kann Prometheus wohl bestrafen, aber nicht vernichten. Ungerechtes duldend, wartet der Gefesselte auf den Tag seiner Befreiung.

DIE EMPÖRUNG IST MUTTER UND SCHÖPFERIN JEDER FREIHEIT. Bakunin in ›Rapports personels avec Marx‹ 1871.

Nein, er habe niemals beabsichtigt, eine Biografie über B zu schreiben, von Anfang an nicht; ihn habe überhaupt nur der späte B interessiert. Ein alternder Revolutionär: es gibt nichts, was tragischer und lächerlicher zugleich wäre. Man stelle es sich einmal vor, sagte er, bildhaft:

Als B im Jahre 1863 zusammen mit Lapinski ein Schiff ausrüstet, um den Aufständischen in Polen zur Hilfe zu eilen, kommen sie über Schweden nicht hinaus. Er muß wieder zurück nach London; er entzweit sich mit

Herzen wegen seiner polnischen Aktivitäten, die jener von Anfang an mißbilligt hatte. B übersiedelt nach Florenz.
1870 beteiligt er sich am Aufstand in Lyon. Mit einer Gruppe von Revolutionären besetzt er das Rathaus in einem Handstreich. Aber schon nach ein paar Stunden (nicht einmal zum Verbrennen der Akten war es gekommen, und das hatte er immer als eine der ersten Handlungen der Revolution gepredigt) marschiert die Nationalgarde aus den Kasernen und B wird zusammen mit andern Aufständischen festgenommen. Im letzten Moment befreien ihn zufällig vorbeikommende Freischärler. Er setzt sich nach Marseille ab und wartet dort auf das Zeichen zu einer allgemeinen Volkserhebung. Ein Kurier, den er nach Lyon schickt, wird abgefangen. Man findet bei ihm ein Verzeichnis von Bs Lyoner Freunden, die daraufhin verhaftet werden.
Drei Jahre später (1874) ist B in Bologna. Von hier aus soll ein zentraler Aufstand ausgerufen werden, mit dem Ziel, die Monarchie zu stürzen. Aber in der entscheidenden Nacht wartet B vergeblich im Albergo del Sole auf das verabredete Signal. Die Aufständischen werden schon Tage vorher, gerade als sie sich versammeln wollen, von der Miliz festgenommen; ihr Versteck wurde verraten. B gelingt es, in einem Heuwagen versteckt, aus der Stadt zu fliehen.
(Immer wieder: Bs allzugroßes Vertrauen in die Spontaneität der Massen bei einer beginnenden Revolution. Seine Ungeduld. Herzens Definition: B nehme den zweiten Monat der Schwangerschaft für den neunten.)
Als er zurückkehrt, hat Cafiero, sein Vertrauter, ihm die Baronata in Locarno aufgekündigt. Er kauft auf Schulden die Villa Besso in Lugano und versucht durch neu-

artige Anbaumethoden Obstkulturen zu züchten. Er liest Schopenhauers *Welt als Wille und Vorstellung*.
Die Freunde ziehen sich von ihm zurück. Einer, der bis zuletzt zu ihm hält, ist Ogarjow. An ihn schreibt er oft. Aber Ogarjow antwortet ihm nur selten. Er säuft. B rügt ihn mehrfach in seinen Briefen (*Alter Freund, trinke mit Maß!*) und beklagt sich, daß er seine Briefe nicht bis zu Ende lese und daß er vergesse, seine Fragen zu beantworten. Dieses Bild, sagte er noch einmal, man stelle es sich vor: B, der Revolutionär, alt und blasenkrank, vom Herzasthma gepeinigt, verlassen von seinen Freunden, allein mit seinem leidenschaftlichen (immer noch berserkerhaften) Haß, den er in Briefen hinausschreit an einen fernen, in London lebenden Freund, der, vom Schnaps senil geworden, diese Worte nicht mehr begreift...

In den letzten Lebensjahren hat B, aus Furcht vor Verrat, in seiner Korrespondenz keine Namen von Personen oder Institutionen mehr erwähnt, sondern an ihre Stelle Ziffern gesetzt. An seine Freunde schickte er gesondert eine Liste der Namen und Ziffern, die sie wie ein Code benutzen sollten.
BAKUNIN hatte die Nummer 30
MARX 74
GUILLAUME 10
LERMONTOW 8
SALLIER 78
GREULICH 141
STEMPKOWSKI (poln. Sozial. Gesellschaft) 154
Die meisten Ziffern konnten nicht dechiffriert werden.

Mit de Gubernatis vereinbarte er eine Code-Sprache. Jede Woche schickte er ihm eine Chiffre, die jener auswendig lernen sollte.

In seiner Korrespondenz mit Netschajew probierte er verschiedene Geheimtinten aus.

Von den Fenstern der Baronata übte er die Verständigung mit Lichtsignalen über den Lago Maggiore hinweg.

Er war nach Locarno gefahren, es war im Oktober und es regnete leicht. Er hatte sich zuerst im Tourist-Office nach der *Baronata* erkundigt, danach bei einem Taxichauffeur, danach in der Buchhandlung gegenüber dem Bahnhof; man erinnerte sich, den Namen schon einmal gehört zu haben, aber niemand wußte, in welchem Zusammenhang, und niemand kannte die Lage – und natürlich wußte auch niemand, daß B dort einst gewohnt hatte. Die Baronata war in jüngster Zeit ein Objekt der Grundstückspekulation, sie stand für zehn Millionen Franken zum Verkauf: das hatte er beim Zeitungshändler erfahren, der ihm auch geraten hatte, im ›Eco di Locarno‹ nachzufragen, aber die Redaktion hatte bereits geschlossen. Er erinnerte sich an einen Film, den er im Fernsehen gesehen hatte, über die deutschen Schriftsteller, die in Locarno (oder in der Nähe) wohnten, er erinnerte sich an Andersch und suchte sich die Nummer im Telefonbuch heraus, aber Andersch war nicht zu Haus sondern auf Lesereise, er rief Neumann an, der von einer PEN-Tagung in Mentone noch nicht zurück war, bei Frisch meldete sich niemand; schließlich fiel ihm noch der Verleger Schifferli ein (Mehring entdeckte er nicht im Telefonbuch), dessen Frau ihn an eine Journalistin mit dem seltsamen Namen Hasenfaz verwies, die wußte wenigstens, daß der Apotheker Unter Den Arkaden in Muralto aus der Baronata ein Sanatorium machen wollte, und zu diesem Apotheker war er dann auch gegangen, der hatte seine Pläne inzwischen aufgegeben, aber er kannte die genaue Lage der Baronata und zeichnete sie ihm auf die Rückseite eines Rezeptblattes. Das Rezeptblatt gab er ihm nicht mit, und so mußte er, da er nicht alle Einzelheiten behalten hatte, unterwegs noch einmal danach fragen.

Es war im Oktober und es regnete leicht, er hatte in Minusio – auf einer Seitenstraße der Via Gottardo, die steil nach oben führte – die Baronata gefunden; zwischen Kastanien, Palmen und Maulbeerbäumen sah er den hochgereckten gelben Turm und dahinter das breitkrempige Vordach eines kleinen Palazzo. – Er hätte sichs beinahe denken können: aus der Baronata war, wie konnte es in der Schweiz anders sein, eine Pension geworden.

Er war etwas verwirrt vom Schwarm der Flugzeugmodelle, die im Empfangsraum an dünnen Fäden von der Decke herabhingen, dazwischen baumelten kleine farbige Lämpchen, die in regelmäßigen Abständen aufleuchteten. Der Pächter war einst ein Pilot gewesen, und wie fast alle Piloten, war auch er eines Tages vom Himmel gefallen. Seitdem war es hier oben still geworden; seitdem blinkten die Lämpchen; seitdem zerfielen die Flugzeugmodelle, manche verloren einfach ein paar wichtige Teile wie Propeller, Kanzel, das Heck, einen Flügel, andere platzten auf, andere verkrümmten sich im Leim...aber sie schwebten noch alle, fliegendreckbeladen. Wenn beide Türen geöffnet waren, begannen sie im Luftzug zu schweben, manche flogen hinaus und kamen nicht mehr wieder.

Am zweiten oder dritten Tage unseres Aufenthaltes in Locarno fuhren wir mit B in einem Kahn nach dem auf seinen Namen gekauften, in der Nähe der Stadt gelegenen Hause, das er uns zeigen wollte. Als wir gelandet waren, gingen wir auf einem schmalen Fußpfad den Berg hinauf und traten durch ein Pförtchen ein. Ich erblickte vor mir ein einstöckiges Haus mit verblaßten Mauern, die einmal gelb angestrichen gewesen sein mußten. Die Vorderfassade, die auf den See hinausging, war höher als die hintere, wie es gewöhnlich bei Häusern zu sein pflegt, die auf einem steilen Abhang gebaut sind. Die dicken Steinmauern gaben diesem alten Gebäude, welches mir sehr wenig wohnlich erschien, das Aussehen einer kleinen Festung. Als wir hineingingen, schlug uns ein feuchter und muffiger Geruch entgegen. Die Hinterzimmer waren dunkel, da die Fenster auf einen steil hinter dem Haus aufragenden Berg hinausgingen, wo ein kleiner Obstgarten angepflanzt war. Dafür aber bot das Haus viele Bequemlichkeiten zur Einrichtung eines Zufluchtortes. Man konnte sich von hier aus unbemerkt bis zum See durchschleichen und dann jede beliebige Richtung einschlagen. Italien konnte man, das Zollhaus vermeidend, in einem Kahne erreichen. B begann davon zu sprechen, wie die italienischen Revolutionäre (und er mit ihnen) in diesem Haus eine fliegende Druckerei einrichten und im Augenblick des Aufstandes Proklamationen drucken, wie sie hier ein Waffenlager errichten, Congreve-Granaten und andere Werkzeuge zum ›Aufruhr‹ anhäufen und sie nach Italien hinüberschaffen würden... Wir beendigten die Besichtigung und gingen ins untere Stockwerk, wo der Hausaufseher einen aus Brot und Käse und ziem-

lich schlechtem, saurem Wein bestehenden Imbiß vorbereitet hatte.

Am nächsten Tag war er allein in der Baronata. Die letzten Pensionsgäste waren in der Frühe abgereist, er hatte das Abschiedszeremoniell durch das offene Fenster vernommen, noch im Halbschlaf: das Türenschlagen, die Schritte auf dem Kies, die auf- und absteigenden Stimmen, das Aufheulen eines Motors. Er muß noch lange so dagelegen sein, die Augen geschlossen, der Körper unbeweglich, und allen akustischen Signalen ausgeliefert, die übersteigert laut zu ihm drangen.

Den ganzen Tag über war er in seinem Zimmer geblieben und hatte im ›Diavolo del Pontelungo‹ gelesen, das ihm Mondada mitgegeben hatte. Mit ihm war er am Tag zuvor am Grab von Stefan George gewesen, auf dem Friedhof von Minusio, nur fünf Minuten von der Baronata entfernt. Das Reich und die Anarchie ganz nah beisammen. Am Abend ging er durch die Zimmer, die offen waren und das waren alle, bis auf die beiden Privaträume der Wirtin, und knipste überall das Licht an. Auf der Balconata, die jetzt mit alten weißen Möbeln vollgestopft war, öffnete er alle Fenster. Er hatte von Bs Vorliebe gelesen, auf der Balconata zu sitzen, an manchen Sommerabenden habe er dort sogar das Essen servieren lassen; unten auf der Terrasse war schon der Wind vom See her zu spüren. Von den Fenstern hatte man auch den schönsten Ausblick, weit über den Lago Maggiore, bis hin nach Magadino, San Nazzaro und Indemini, einem kleinen Dorf ganz tief in den Bergen, nahe der italienischen Grenze, dort soll B, so erzählt man es sich noch heute, Waffen und Dynamit gelagert haben. Bei klarem Wetter konnte man von der Balconata Lichtsignale bis nach

Indemini schicken. Er knipste mehrere Male das Licht aus und ein.

B hatte hell erleuchtete Räume geliebt, und wenn es nach ihm gegangen wäre, hätte das Licht in der Baronata die ganze Nacht hindurch gebrannt. Aber Cafiero, der sowieso ständig zum Sparen drängte, hatte es ihm verboten. Es war für B eine Erinnerung an das elterliche Gutshaus im Gouvernement Twer; seine Mutter hatte dafür gesorgt, daß im Salon ständig eine Öllampe brannte, dieses Licht konnte man schon von weit sehen, wenn sie aus der Stadt zurückkehrten in die Einöde von Prjamuchino.

Er ging hinunter, die leicht geschwungene und jetzt schon etwas baufällige Treppe, zum ehemaligen Salon, in dem sich noch der Kamin mit den grünen Kacheln befindet; er soll unverändert sein. Lange nach Bs Tod hat man hier umgebaut und aus den großen Räumen kleine Gästezimmer hergerichtet. Die Hauskapelle hatte B, als eingeschworener Atheist, niemals betreten, er ließ bei seinem Einzug die Tür einfach verschließen. Seine Nachbewohner waren da skrupelloser, sie machten daraus einen Duschraum und aus der Krypta eine Toilette. Die neu-gotischen Spitzbögen kann man noch an der Decke sehen.

Es war ein merkwürdiges Gefühl für ihn, hier, allein, in diesem Haus zu sein, in diesen Zimmern umherzugehen, durch die Korridore zu schreiten, die Fenster zu öffnen und Lichtsignale nach Italien zu schicken, im alten, abgewetzten Ohrensessel zu sitzen, am Kamin sich zu wärmen und hin und wieder ein Stück Holz nachzulegen, unter dem jahrhundertealten Kampferbaum zu stehen und ein herabgefallenes Blatt aufzuheben, es zwischen den Fingern zu zerreiben und daran zu riechen: es war alles alltäglich, literarisch, fremd und sinnlos. Hier, wo alles an ihn erinnern sollte, erinnerte nichts an ihn. Es war nur seine Erinnerung, die ihn, B, aus dem Nichts imaginierte. Er sah sich um. Von den weißgekalkten Wänden, aus den blinden Fenstern, von allen unverrückbaren Gegenständen ging die vollkommene Abwesenheit von B aus. Nein, die Baronata war noch nicht zum Museum geworden. Vielleicht war es das, was ihn beruhigte.

B pflegte spät aufzustehen, so daß wir ihn erst ungefähr um zehn Uhr morgens besuchen konnten. Es war ein sonniges Wetter, und nach dem hellen Licht draußen erschien mir sein Zimmer, das zu ebener Erde lag, ganz dunkel. Ein Fenster oder zwei gingen auf einen dunklen Platz, vielleicht auf einen Garten hinaus und gaben wenig Licht. Auf der rechten Wand in der Ecke bemerkte ich im Schatten ein großes, niedriges Bett, auf dem B lag. Liegend reichte er mir die Hände, erhob sich keuchend vom Bett und begann sich langsam anzukleiden. Ich sah mich um. An der Wand stand ein langer Tisch mit Zeitungen, Büchern und Schreibzeug überhäuft. Daneben waren einfache, beinahe bis an die Zimmerdecke reichende Holzregale, ebenfalls mit allerlei Papieren vollgefüllt. In der Mitte des Zimmers, auf einem runden Tisch, ein Samowar, Gläser, Tabak, Zuckerstücke, Löffel . . . alles durcheinander. Die Stühle ganz ungeordnet, einige mit Zeitschriften oder Büchern belegt, man konnte sich jedenfalls nicht setzen.

B war ungewöhnlich groß und massiv, sein Gesicht aufgedunsen, unter seinen hellgrauen Augen lagen dicke Wülste. Seinen mächtigen Kopf krönte eine hohe Stirn; am auffallendsten war jedoch sein halbergrauter, krauser Backenbart. Er kleidete sich keuchend an, und von Zeit zu Zeit starrte er auf mich. Beim Spre-

chen stieß er stark mit der Zunge an, da ihm viele Zähne fehlten. Als er sich bückte, um seine Stiefel anzuziehen, bemerkte ich, wie sein Atem stockte. Als er sich wieder aufrichtete, begann er sehr schwer zu keuchen – der Atem ging ihm aus, sein aufgedunsenes Gesicht wurde blau. Dies alles wies darauf hin, daß seine Krankheit bereits in hohem Grad vorangeschritten war. Als er angezogen war, gingen wir auf die Terrasse. Bald kam der Briefträger mit einem ganzen Haufen von Zeitungen und Briefen, und B begann sie durchzublättern. Später erschien Saizew, und es ergab sich ein Gespräch über den Aufstand in Barcelona, der mit einem Mißerfolg endigte. B sagte, die Revolutionäre selbst trügen eine große Schuld am Mißlingen des Aufstandes. Man hätte die Amtsgebäude in Brand stecken sollen! Das muß bei einem Aufstand der erste Schritt sein – und sie haben es nicht getan. Er war ganz erregt.

Er war hinaufgegangen, zur Dependance, die etwa hundert Meter oberhalb der Baronata lag. B hatte sie bauen lassen, als Refugium für Revolutionäre, die überall in Europa verfolgt waren. Ein dreistöckiges gelbes Haus, das seit langem leer steht und langsam verfällt. Die Fensterläden waren geschlossen, die Scheiben überall zerbrochen. Er ging durch die leeren Räume und hörte die Zeit ticken: das Wasser tropfte langsam und unablässig aus undichten Rohren; an vielen Stellen faulte der Fußboden. B, der naive Freude an technischem Fortschritt besaß, hatte eine (für damalige Verhältnisse ganz moderne) Dampfheizanlage einbauen lassen, den gewaltigen Eisenherd ließ er herbeischaffen aus Paris, von einer Firma in der Rue de Miromenisle; er steht heute noch, leicht angerostet, im Keller. Dort entdeckte er auch Bs Kutsche, in einem Nebengelaß, das Holz ist verfault, die Räder sind zerbrochen, und nur die Eisenteile stützen einander. Mit dieser Kutsche soll B zum letzten Mal im Sommer 1876 nach Bern gefahren sein, zusammen mit dem jungen Sant-Andrea, der Schuhmacher war. Nach Nettlau soll B, als sie in der Nähe des Gotthard die Teufelsbrücke überquerten, seinem jungen Schüler erklärt haben: *die sympathischste Person der Bibel ist Luzifer, er verkörpert am reinsten das Prinzip der Empörung.* Nachdem B in Bern verstorben war, ließ Cafiero die Kutsche zurückholen; sie soll seitdem nicht mehr benutzt worden sein.

Es war dunkel geworden. Das Licht aus den Fenstern fiel auf die Terrasse und schnitt Vierecke in den Rhododendron und Lorbeer; silbern schimmerte das Dickicht der Kampferblätter; in den Kronen der alten Kastanienbäume knallten dumpfe Schüsse, wenn die Kastanien aufplatzten. Unter ihm lag der nachtdunkle See wie eine Höhle.

Er löschte das Licht in den Zimmern der Baronata und ging langsam zurück in den Salon. Es fröstelte ihn. Es war Oktober und draußen regnete es leicht. Er rückte Holzscheite im Kamin zusammen und legte trockene Kampferzweige auf. Die Flamme schoß hoch und zitterte und warf ein rötliches Licht an die Wände.

Er wartete. Er wartete auf die Veränderung, die da kommen sollte. Auf die große Veränderung.

Es erfüllte ihn mit einer gewissen Befriedigung, wenn er spürte, daß die andern ihn verachteten, ja, daß sie ihn verspotteten, daß sie einen Bogen um ihn machten, daß sie sich sogar räumlich von ihm distanzierten, daß sie ihn aussetzten, daß sie ihn ausschlossen aus ihrer Gemein-

samkeit. Das hatte er eigentlich gewünscht, das hatte er gewollt: dieses Ausgeschlossensein. Nicht zu ihnen zu gehören, zu den anderen, zu den vielen.
Er hatte das deutlich gemerkt, wie sie ihn anstarrten, zuerst eher heimlich und verstohlen, mit einem zufälligen Blick oder durch ein Schaufenster hindurch oder getarnt hinter Vorübergehenden; später immer offener, direkter, kühner; manche hatten ihn einfach angesehen, lange; manche hatten sich nach ihm umgedreht, hatten einander angestoßen und aufgelacht; manche waren mitten in einem Satz steckengeblieben und hatten erst weitergeredet, wenn er vorbei war oder hatten ihm so lange nachgesehen, bis er in der Menge verschwunden war. Er hatte zuerst versucht, nicht darauf zu achten, er war durch die Straßen gegangen wie zuvor, aber er hatte doch überall und immer wieder gefühlt, daß die andern Abstand hielten zwischen sich und ihm: Leere. Wenn er in einen Laden ging, um etwas einzukaufen, wurde er sofort bedient, ohne daß die andern, die Wartenden, murrten; sie wollten ihn wohl alle rasch aus dem Laden haben. Wenn er sich in ein Lokal setzte, wo man ihn nicht kannte, sah er, daß die Kellner nervös hin und her liefen und sich in seiner Nähe ansammelten; niemand setzte sich an seinen Tisch. Wenn er ins Kino ging, standen seine Nachbarn links und rechts nach einer Weile auf und setzten sich in eine andere Reihe. Manchmal dachte er daran, damit Schluß zu machen, es wäre ja ganz einfach gewesen, er hätte sich nur die Haare schneiden lassen müssen, keine Stiefel mehr, kein schwarzes Hemd, kein Militärmantel; aber da hatte er bereits seine Rolle angenommen. Nicht zu ihnen gehören, zu den andern, zu den vielen, die in den Cafés saßen und in den vornehmen, hell erleuchteten Restaurants, und die aus ihren fetten Lei-

bern ausschwitzten die Angst vor der großen Veränderung. Er hätte nur gern gehabt, daß sie irgendwo einen Stich spürten, wenn er an ihnen vorbeiging, einen Stich und noch einen Stich und noch einen Stich, und er wollte ihrem Haß seinen tausendfachen Haß entgegenschicken. Aber er merkte bald, dieser Haß war nichts anderes als ein dünner Firnis auf seiner Haut. Er war nicht fähig zu einem Verbrechen, das ihn aus dieser Gesellschaft ausstoßen und für immer absondern würde.
Er hätte gern etwas getan, damit die Gesellschaft ihn auskotzte...

Indem er das schrieb, merkte er auch schon, daß er unrecht hatte. Er wäre gern genau so gewesen wie sie. Neulich, im Fernsehen, hatte er sie gesehen: Hunderttausend auf dem Fußballplatz ... dieses Gefühl der Gemeinsamkeit, diese eine Stimmung, diese eine Hoffnung:
Er hätte gern gewußt, was man dabei fühlt.

Er war ausgeschlossen. Das war es. Sie hatten ihn nicht angenommen.

Er erinnerte sich: er war ein Kind; er war sieben Jahre alt; er war nicht anders als sie. Aber sie wollten ihn nicht. Einer trat ihn gegen das Schienbein. Ein anderer machte ihm eine lange Nase. Einer spuckte ihn an. Einer schlug ihm ins Gesicht. Einer riß ihn an den Haaren. Er merkte sich alles. Einmal, als sie am Kanal vorbeikamen, stieß er den, der ihn angespuckt hatte, die Böschung hinunter.

Er sah nicht hin. Er hörte nur einen Aufschlag im Wasser. Er hörte Schreie. Er lief davon.
Am nächsten Tag verbot ihm die Mutter, in der Nähe des Kanals zu spielen. Erst gestern sei wieder ein Kind ins Wasser gefallen, man habe es gerade noch in letzter Minute vorm Ertrinken gerettet. Er fühlte sich beobachtet. Er setzte ein trauriges Gesicht auf, er sagte: Wenn du es wünschst, gehe ich nicht mehr dort hin.

Als Michael Alexandrowitsch B nach seiner Flucht aus Sibirien im Jahre 1861 nach England kommt, um seinen Freund Alexander Herzen in London zu besuchen, wird er von dem Custom-Officer in Southampton nach dem Beruf gefragt. Er antwortet: Revolutionär. Der Officer glaubt an einen Scherz, er lacht und sagt, genauso habe ich mir einen Revolutionär vorgestellt. Er läßt ihn weiterreisen.

Als B im Juni 1870 nach Lyon reist, um an dem geplanten Aufstand teilzunehmen, gibt er sich an der schweizerisch-französischen Grenze als Agent du commerce – als Handelsvertreter – aus. Er kann ungehindert weiterreisen.

Im Juli 1872 beantragt B auf dem Gemeindeamt von Locarno einen Reisepaß. Er muß dazu einen Fragebogen ausfüllen. Bei der Rubrik Beruf (jetzige Tätigkeit) angekommen, zögert er einen kurzen Moment. Dann schreibt er hinein: Schriftsteller.

Die Philosophie des Anarchismus ist eine Philosophie der Tat. Bakunin

Er war zuerst in Amsterdam gewesen, in keiner Bibliothek Europas gibt es soviel Literatur über Anarchismus wie im Institut für Sozialgeschichte (Internationaal Instituut voor Sociale Geschiedenis), in der Herengracht. Hier befindet sich auch das Bakunin-Archiv ... hier hat er mit Arthur Lehning gesprochen, einem alten deutschen Anarchisten, der die erste historisch-kritische Ausgabe der Werke von B herausgibt, vier Bände (im Großformat) sind bereits erschienen, elf weitere sind geplant ... hier hat er gesessen, tagelang, und gelesen in Büchern, Zeitschriften, Zeitungen, in fotokopierten Briefen und Manuskripten ... hier hat er entdeckt, daß Bs Hauptwerk mehr in seinen Briefen zu finden ist als in seinen Schriften, die fast alle fragmentarischen Charakter haben; sein praktischer Einfluß auf revolutionäre Veränderungen (auch später durch seine Schüler) resultierte aus Briefen und brieflichen Anweisungen, er schrieb manchmal bis zu fünfundzwanzig Briefe an einem Tag, die meisten französisch, viele russisch, einige auch in deutsch ... hier hatte er zum ersten Mal Nettlaus dreibändige Biografie gesehen und darin gelesen, eine der seltsamsten Publikationen dieses Jahrhunderts, 837 handgeschriebene großformatige Seiten, dazu über zweihundert Seiten Anmerkungen. Niemand hat damals eine Biografie von B drucken wollen, da hat Nettlau sie selbst mit der Hand abgeschrieben, auf Folie, hat sie fünfzig Mal abgezogen und an Freunde und Bibliotheken geschickt. Dieses Exemplar trug die Nummer fünfundzwanzig und war dem holländischen Sozialisten Domela Nieuwenhaus gewidmet (privetly printed; reproduced by the Autocopyist by the author at 36, Fortune Gate Terrace, Willesden, London N.W.) ... eine Biografie, die bis heute ungedruckt geblieben ist. Viereinhalb Jahre hat Nettlau an dieser Niederschrift gearbeitet, vom einundzwanzigsten Februar 1896 bis zum einundzwanzigsten Juni 1900 – er hat B nicht mehr persönlich gekannt, aber mit zahlreichen seiner Freunde und Schüler gesprochen und mit Besessenheit alle erreichbaren Quellen studiert, er wollte Bs Leben noch einmal mit Worten nachleben. Doch je mehr er über B erfuhr, desto weniger wußte er von ihm. Am Ende seiner langen Niederschrift bekannte er:

Ich freue mich, durch die Erfahrung (mit dieser Biografie) noch skeptischer über das, was wir wissen können, geworden zu sein als ich es schon war. Nichts ist langweiliger als ein gelöstes Rätsel. Erkennen wir also die unendliche Vielartigkeit des wirklichen Lebens an, die nie ergründet und erschöpft wird, verzichten wir darauf, seichte, einseitige Entracte daraus in einförmige Bücher zu sperren und uns einzubilden, Wissen aufgesammelt zu haben ...

Er hätte gern mehr über ihn gewußt, von dem er nur wußte, daß er 1865 in Wien geboren wurde, als zwanzigjähriger Student für Geschichte mit der anarchistischen Bewegung in Berührung kam und seitdem sich als deren Chronist betätigte, seine Karriere und sein Vermögen dafür opfernd ... Rocker hat ihn den *Herodot des Anarchismus* genannt ... 1944 starb er, fast achtzigjährig, und hinterließ der Universität Amsterdam seine Bibliothek mit mehr als vierzigtausend Bänden ...
Er hätte nicht mehr sagen können, wie lange er in der

Nettlau-Biografie gelesen hatte, wie viele Stunden, wie viele Tage ... Fakten häuften sich auf Fakten ... hinter ihnen verschwand das eigentliche Leben des Michail B. Nirgendwo erhielt er zum Beispiel eine Auskunft über den Grund der plötzlichen Kündigung der Baronata. Nettlaus Motivation (B habe in Erwartung seiner russischen Erbschaft zuviel Geld ausgegeben und Cafieros Mittel seien schließlich erschöpft gewesen) befriedigte ihn nicht. Er stellte Fragen:

Hat es im Sommer 1874 persönliche Auseinandersetzungen zwischen B und Cafiero gegeben? Welcher Art waren sie? Welcher Art waren überhaupt die Beziehungen von B zu C? Warum hat Cafiero die Baronata gekündigt unmittelbar nach dem fehlgeschlagenen Aufstand in Bologna? In einem Augenblick, in dem er wissen mußte, daß B sich in einem Zustand tiefer Depression befand. (In Splügen soll B Selbstmordabsichten geäußert haben.) War es ebenfalls Cafiero, der B zuerst zum Rücktritt aus der revolutionären Bewegung drängte?

Gab es homoerotische Beziehungen zwischen B und Cafiero? Zwischen B und Netschajew? Zwischen B und Giuseppe Sant-Andrea? Woher stammt Nettlaus (von allen anderen übernommene) Behauptung, B sei impotent gewesen? Nur weil seine beiden Kinder in Wirklichkeit Kinder von Gambuzzi waren? (Was damals – wie er aus verschiedenen Briefen und auch bei der Iswolska erfuhr – allgemein bekannt war.)

Keiner konnte ihm die Fragen beantworten, auch Lehning nicht.

Er las bei Nettlau, mitten im Text der Biografie:
Ich habe es jetzt satt mit B. Ich unterbreche hier. Ich mache jetzt erst einmal einen großen Waldspaziergang ...
Er lachte darüber.
Er kehrte in die Gegenwart zurück.
Er betrachtete seine Nachbarn im Lesesaal, die er vorher kaum beachtet hatte, sah auf die Bücher, die sie vor sich gestapelt hatten, er las die Buchrücken: Luxemburg, Werke; Lenin, Werke; Hegel, Werke; Rocker; Goldman; Bakunin, Oeuvre; Die Rote Fahne; Der Kampf; Das Wort; La revue proletarienne; Revue syndicaliste revolutionaire; er sah auf die Gesichter der Lesenden, die abwesend waren, nicht weit entfernt, aber jedenfalls nicht hier, nicht in diesem Raum, nicht in dieser Zeit. Er stand auf und brachte seine Bücher der Bibliothekarin zurück. Draußen war es noch hell. Zum ersten Mal verließ er das Institut nicht erst am späten Abend.

Er beschloß am nächsten Tag abzureisen.

Protokoll eines Interviews mit Arthur Lehning, 70, Amsterdam, langjähriger aktiver Anarchist und jetzt Herausgeber der ersten kritischen Gesamt-Ausgabe von Bakunins Werken.

Welcher anarchistische Denker ist für die neue revolutionäre Bewegung besonders einflußreich?

Bakunin, der Begründer des Anarcho-Syndikalismus.

Was waren Bakunins wichtigste Ideen, die auch noch für unsere Gegenwart aktuell sind?

Kampf gegen Monopol- und Staatskapitalismus und alle Formen von Autorität, besonders des Staates.

Führt der Weg zum Anarchismus über die Revolution?

Gewiß nicht über Reformen. Die Veränderung muß eine grundsätzliche sein. Die Monopole der Macht müssen zerstört werden. Was mit Gewalt durchgeführt werden muß, ist die Expropriation. Bakunin hat gelehrt: man soll Institutionen bekämpfen, nicht Menschen vernichten. Die Revolution braucht deshalb nicht blutig zu sein.

Welche Chancen hat der Anarchismus heute in Europa?

Ohne Anarchismus, ohne Freiheit, wird kein humaner Sozialismus möglich sein. Der marxistisch-leninistische Weg mußte zu einer Diktatur führen, und zwar nicht nur zur Diktatur des Proletariats, sondern zur Diktatur einer Partei. Das hat Bakunin schon vorausgesehen, und er hat in allen seinen Schriften davor gewarnt.

Woher kommt die gegenwärtige Wiederbelebung anarchistischer Ideen?

Die jungen revolutionären (studentischen) Bewegungen suchen einen neuen Sozialismus; sie haben erkannt, daß alle Formen des Staatskommunismus diskreditiert sind und daß die klassischen Demokratien immer autoritärer werden. So hat man die Ideen Bakunins wiederentdeckt.

Glauben Sie an eine Verwirklichung des Anarchismus?

Die Frage ist verkehrt gestellt. Es handelt sich darum, mit welchen Methoden, auf welchem Wege eine freiheitliche Entwicklung zu fördern ist, d. h. wie in und nach der sozialen Revolution die Gesellschaft organisiert werden kann ohne Staatsdiktatur. Vielleicht gibt es die besten Möglichkeiten dazu jetzt in den Ländern der dritten Welt, die sich der Integrierung in das kapitalistische System widersetzen und vielleicht auch den Versuchungen des autoritären Kommunismus widerstehen können. Ich denke da besonders an Südamerika.

Bei welchen revolutionären Gruppen zeigen sich anarchistische Ideen besonders deutlich?

Vielleicht bei den Internationalen Situationisten, wie der Mai-Aufstand in Paris bewiesen hat. Das ist eine ehemalige Künstlergruppe, die jetzt zur aktiven politischen Arbeit übergegangen ist. In Deutschland auch bei der APO – ich denke an Cohn-Bendit und Dutschke, besonders dort, wo sie sich von der marxistischen politischen Theorie lösen.

Wird es in Zukunft heißen: Alle Macht den Anarchisten?

Nein, eher alle Macht den Räten! Den Räten des Anarcho-Syndikalismus. Die Macht muß über die Gewerkschaften den Arbeitern zufallen.

Kann es da nicht eines Tages zu einer Gewerkschaftsdiktatur kommen?

Theoretisch ja; das hängt von dem Geist der Räte ab und von ihren Fähigkeiten. Jedenfalls sind die Räte die praktische Verneinung der Parteidiktatur. In einem wirklichen Rätesystem, das föderalistisch funktioniert, können die Vertreter nicht zu Apparatschiks werden, da sie jederzeit abwählbar sind.

Was hat Bakunin mit dem Bomben-Anarchismus zu tun?

Er propagierte die Methoden der direkten Aktion; er nannte das: Propaganda durch die Praxis. Dazu gehören Streiks, auch Aufstände. Aber er glaubte nicht daran, daß eine Minorität eine Revolution ›machen‹ kann.

Im Dezember findet in Turin ein Internationaler Kongreß des Anarchismus statt. Ist das der Nachruf auf eine Bewegung?

Sie meinen, weil dort lauter Historiker Vorträge halten? Das ist es nicht allein. Es sind auch militante Anarchisten eingeladen, die über bestimmte theoretische und praktische Fragen des Anarchismus referieren werden.

Sehen Sie bei den künftigen revolutionären Bewegungen mehr schwarze Fahnen als rote?

Zumindest so viel schwarze wie rote.

Keine Klarheit war zu bekommen über Bs Rücktritt von der revolutionären Bewegung. In der Anarchismus-Forschung gibt es darüber wilde Spekulationen, weil fast alle Dokumente verlorengegangen sind. Die wenigen, die publiziert wurden, sind voller Widersprüche. Bs Erklärung wurde am 12. Oktober 1873 im Bulletin des ›Comité fèdéral Jurassien‹ veröffentlicht. Niemand glaubte an die Freiwilligkeit seines Entschlusses; die einen hielten es für eine List, die anderen für Resignation, einige sahen die Motive in einer beginnenden Geisteskrankheit, andere in einem Selbstmordversuch, manche sprachen von der Vermutung, Cafiero habe ihn dazu gezwungen. In einem ›Memoire justicatif‹, von B am 28. und 29. Juli in Splügen verfaßt, erklärte B, daß es ›zu meinen Rechten und Pflichten gehöre, mich in jede revolutionäre Bewegung zu werfen‹ und er spricht darin auch von einem ›wünschenswerten Ende, inmitten eines großen revolutionären Sturms zu sterben‹. Dieses Memoire ist nie veröffentlicht worden, es kam in den Besitz von Guillaume, der es (wahrscheinlich auf Drängen von Cafiero) geheimhielt. In einem Anfall von Depression hat Guillaume im Jahre 1899 einen großen Teil seiner Manuskripte verbrannt, darunter die gesamte Korrespondenz mit B und Dokumente der Internationale. Auch dieses Memoire befand sich darunter. Bruchstücke einer Abschrift, die damals der junge Freund von B, Bellerio, heimlich angefertigt hatte, konnte Nettlau sicherstellen.

Lauter Geheimnisse und Widersprüche.

Am 25. September 1874 erklärt B in Neuchâtel auf einer Sitzung der Juraföderation öffentlich seinen endgültigen Rücktritt. In sein Tagebuch trägt er ein paar Tage später ein: *Endgültiger und vollständiger Bruch. (Rupture.)*... Also kein freiwilliger Rücktritt... ein Bruch...

Cafieros Rolle untersuchen. Hier wahrscheinlich der Schlüssel. Warum richtet er ihm die Baronata ein und kündigt sie ihm ein paar Jahre später? Ein Machtkampf zwischen Schüler und Meister? Oder der Beginn der Schizophrenie von Cafiero, die später ausbrach und ihn zwanzig Jahre lang in einem Mailänder Irrenhaus festhalten sollte? Und Guillaume, der ›Treueste der Treuen‹, wie er ihn manchmal, nach einem Wagner-Zitat, genannt hat? Warum hielt er das Dokument zurück, das für Bs Frau Antonia bestimmt war? Und was hat Nettlau, sein Biograf, unterschlagen, was übertrieben? Seine Arbeiten sind parteiisch, mußten es sein, er hatte nicht nur die bürgerliche, er hatte auch die marxistische Geschichtsschreibung gegen sich.

Zu L sagte er einmal, er komme sich vor wie ein Mann im Urwald, der sich den Weg zur Wasserquelle erst mit dem Buschmesser mühsam freimachen müsse; wenn er aber endlich da ist, müsse er feststellen, daß die Quelle versiegt sei.

Er war nach Neuchâtel gekommen, es war im September und es regnete leicht. Vom Zug aus hatte er schon die Lichterketten der Hauptstraße gesehen, die vorn, am

Hafen, ganz weit in den See ragten. Das Bild war ihm vertraut. Bis zur Ankunft waren es jetzt nur noch wenige Minuten. Wir sind gleich da, Bellerio, sagte er zu seinem jungen Freund. Er legte das Buch beiseite, in dem er gelesen hatte, er versuchte sich zu erheben, Bellerio half ihm dabei. Als er stand, ragte er mit dem Hut fast bis an die Decke, ein mächtiger Bart umrahmte das fleischige, leicht aufgedunsene Gesicht. In den Gängen drängten sich bereits die Reisenden. Bellerio setzte die Reisetasche auf die Bank, er räumte alles ein, das Buch, Tücher, eine Wärmflasche und eine Reisedecke. B sah zum Fenster hinaus, ganz deutlich waren die erleuchteten Fenster des neuen Postgebäudes zu sehen, daneben das schwarze Quadrat der Bibliothek. Der Zug bremste jetzt und beide mußten sich festhalten. B krallte seine Hand in das Polster, er atmete schwer. Das Reisen strengte ihn an. Ohne Bellerio war er ganz hilflos. Ob die Freunde vom Berge ihn vom Bahnhof abholen würden? Er hatte Guillaume die Ankunft des Zuges mitgeteilt, aber er war nicht sicher, ob sein Brief auch rechtzeitig angekommen war. Er war früher gern nach Neuchâtel gefahren, er hatte sich stets auf die Spaziergänge am See gefreut, auf die Gespräche mit Guillaume in seiner kleinen Wohnung in der Rue Neubourg, auf die Fahrt nach La Chaux de Fonds zu den Uhrenarbeitern. Heute war es etwas anderes. Er wollte nur einen Tag bleiben, um vor der Juraföderation seine Rücktritts-Erklärung zu verlesen. Er wäre lieber in Locarno geblieben und hätte es ihnen schriftlich mitgeteilt, aber Cafiero hatte darauf bestanden, daß er es persönlich bekanntgebe, um so verschiedene Gerüchte aus dem Wege zu räumen. Der Zug hielt mit einem Ruck. Bellerio reichte ihm den Reisemantel, B warf ihn nur leicht über die Schultern, er rückte den Hut, der dadurch

ein wenig verrutscht war, zurecht. Er wollte keinen Tag länger bleiben, auch wenn Guillaume versuchen würde, ihn dazu zu überreden. Es sollte sein Abschied vom Jura sein; hier, wohin er einmal so viele Hoffnungen hineingetragen hatte, mußte er nun vom Aufhören und vom Verzicht reden... Sie stiegen aus dem Zug und sahen sich um, keiner ihrer Freunde war gekommen. Der Bahnsteig glänzte im Licht der Karbidlampen und Bs massiger Körper warf einen riesigen Schatten auf das nasse Pflaster. Bellerio winkte einem Gepäckträger. Zum Hotel Terminus, sagte er. Und sie gingen die paar Schritte über den Bahnhofsvorplatz zu Fuß. B kannte das Hotel, hier wohnte er immer, wenn er mit dem Zug anreiste. Kam er mit der Kutsche, logierte er im Hotel de la Poste, unten am See. Vom Terminus hatte man die schönere Aussicht, ganz weit über den See bis hin zu den Berner Alpen, und auf der anderen Seite die aufsteigenden Rücken des kalkgrauen Jura. Jetzt war es dunkel, man sah nur ein paar Lichter in der Stadt, weit unten der See war eine schwarze Höhle, die ruft.
B war in Neuchátel angekommen, es war der 24. September 1874, und es regnete leicht.

Bilder wollte er fixieren.

Dieses etwa:

Ein Pferdewagen, mit Heu beladen, auf einer Straße in Bologna. *Kinogeräusche*. Pferdegetrappel, das Knirschen von Rädern. Am Straßenrand zwei italienische Soldaten, winkend. Stimmen, das Quietschen der Bremse, das Verlangsamen der Geräusche, der Stillstand. Vorn auf dem Kutschbock ein Bauer, er beugt sich etwas zur Seite herunter, zu den Soldaten, die etwas fragen, der eine hebt die Hand. Der Bauer auf dem Kutschbock dreht die Bremse los, schnalzt mit der Zunge, das Pferd setzt sich in Bewegung. Wieder die Geräusche von vorhin, der Soldat tritt weiter zurück, entfernt sich aus dem Bild; der Heuwagen wird kleiner, die Geräusche werden leiser, links und rechts der Straße entschwinden die Häuser.

(Dann dreht der Ton wieder auf.) Der Wagen ist jetzt groß im Bild, er hält an, der Mann steigt vom Kutschersitz, geht nach hinten, er schiebt mit beiden Händen das Heu zur Seite, der Kopf eines anderen Mannes wird sichtbar, rückt näher, zwei Arme rudern aus dem Heu, ein alter Mann kriecht hervor, rutscht vom Wagen herunter, steht dann, ein wenig schwankend noch, auf der Straße, gestützt von dem Bauern. Er streift sich die Heureste vom Anzug, aus den Haaren, aus dem Bart. Er hustet. Dann klettert er vorn zum Kutscher auf den Sitz. Sie fahren weiter.

(Schnitt.) Der Wagen hält vor einem Dorfgasthaus in San Fermo. Zwei Männer kommen zur Tür heraus, sie winken. Der Alte steigt vom Wagen, sie springen herbei, stützen ihn, dann umarmen sie ihn. *(Der Ton ist weg.)* Sie führen den alten Mann die Stufen hinauf in ein Gastzimmer. Sie reden miteinander. *(Man sieht nur Gesten)*. Einer zeigt ihm die Kutte eines katholischen Priesters. Der Alte wehrt ab, mit beiden Händen, aber seine Bewegungen sind langsam und verzögert. Einer reicht ihm einen Korb mit Hühnereiern. Da erregt sich der Alte, er stößt

1. Familienname: Bakunin.
2. Vorname: Michael.
3. Geburtsort: Torshok Gouvernement Twer. Rußland.
4. Aufenthaltsort: gegenwärtig Festung Königstein.
5. Stand oder Gewerbe: Literatur.
6. Religion: griech.-kath.
7. Alter: 35 Jahre alt.
8. Größe: 77½ Zoll sächs.
9. Haare: schwarz, gelockt.
10. Stirn: offen und breit.
11. Augenbrauen: schwarz.
12. Augen: blaugrau.
13. Nase: länglich proportioniert.
14. Mund: voll, etwas aufgeworfen.
15. Bart: schwarz, Schnurr-, Kinn- und Backenbart.
16. Zähne: vollständig.
17. Kinn: gerundet.
18. Gesichtsbild: oval.
19. Gesichtsfarbe: blau.
20. Gestalt: kräftig, kolossal.
21. Sprache: deutsch, französisch, russisch.
22. Besondere Kennzeichen: fehlen.

Polizeibericht. Berlin 26. Juni 1849

die Hand mit dem Korb zurück, heftig, ein paar Eier fallen heraus, zerbrechen auf dem Boden. Der Alte schaut nicht hin. Er nimmt den Priesterrock und hält ihn vor sich hin, er paßt ihn an. Sein Gesicht verzieht sich.

Oder dieses Bild:

Der Alte geht mit kleinen, langsamen Schritten den Weg zur Baronata hinauf, gestützt auf einen Stock. Immer noch wirkt sein Körper gewaltig, immer noch ist er mit Eleganz gekleidet, Anzug mit Weste, eine dicke Uhrkette, Plastron, ein breitkrempiger Hut. Freilich alles schon ein wenig abgewetzt. *(Das sieht man.)*

Cafiero kommt zur Tür heraus, er winkt von weitem und geht ihm entgegen. Der Alte blickte nur kurz auf. *(Großaufnahme.)* Ein verquältes Lächeln auf dem Gesicht. Er atmet schwer. Er wischt sich mit der linken Hand über die Stirn und die Augen.

Cafiero hat einen Hausaffen, der im Garten der Baronata frei herumläuft. Der Affe jagt jetzt in raschen, kurzen Sprüngen auf den Alten zu, der, ein wenig erschreckt, stehenbleibt. Der Affe springt hoch und reißt dem Alten den Hut vom Kopf und zerknautscht ihn zwischen den Pfoten; er springt mit dem Hut davon. Der Alte taumelt fast, er stützt sich mit der einen Hand auf den Stock, mit der anderen greift er an seinen Kopf. In seinem Gesicht ist Angst.

Cafiero sieht zu – und beginnt zu lachen, ein schrilles, fremdes, unpersonales Lachen, das schon den Irrsinn ankündigt.

Oder dieses Bild.
(Wechsel der Perspektive.)

Der Alte sitzt da, steif aufgerichtet im Sessel, und sieht sich um. Er legt die Pfeife beiseite, sie will nicht brennen, der Tabak ist zu feucht. Den rechten Fuß schiebt er etwas vor. Er winkt zu Silvio herüber, aber der sieht nicht hin, er unterhält sich mit Antonia, er beugt sich nach vorn, er macht wohl einen Scherz, denn alle lachen. Er versteht nicht warum. Errico kommt zur Tür herein, er hebt leicht die Hand zum Gruß, er lächelt, aber er kommt nicht zu ihm, sondern geht gleich auf Antonia zu, er küßt sie auf die Wange. Er hört ihre Stimmen, aber er versteht nur wenig: Heiter, Blume, Wasser, Entzücken, Trauer, Tage, Boot, und Antonias durchdringendes Jajajajaja, das er kennt und das er überall heraushört. Er wartet, ob Errico zu ihm kommt, wenigstens er, nachdem er die anderen alle begrüßt hat, aber er mischt sich unter die anderen und bleibt vorn stehen. Da versucht er, seinen Sessel ein wenig zur Seite zu rücken, es gelingt ihm nur mit großer Anstrengung. Er spürt, wie sein linkes Augenlid zu zucken anfängt, er legt die linke Hand darauf, aber das Zucken hört nicht auf, er spürt es in der Handfläche, es setzt sich fort in der Brust, in den Schultern, im Magen, in den Füßen, er stemmt sich gegen den Kamin, nun müßte es auch im Kamin sein, im Fußboden, in den Wänden, müßte die anderen erreichen, müßte sie aufscheuchen, unterbrechen, verstören. Unverändert aber sprechen sie weiter und bewegen sich so, als hätten sie das Schlagen seines Augenlids nicht bemerkt.

Antonia kommt mit einer Karaffe herbei und gießt ihnen Wein in die Gläser. Er versucht jetzt aufzustehen, er schwankt noch ein wenig, aber es geht schon, er hält sich mit einer Hand am Sessel fest und er schreit ihnen entgegen, ich bin nicht verrückt, ich bin nicht verrückt, das redet euch Antonia nur ein, ich bin nur müde, nur müde, und er merkt dabei, daß kein Laut aus seiner Kehle gedrungen ist, daß die andern ihn nicht bemerkt haben. Er fällt wieder in den Sessel zurück, er schnappt nach Luft, sein Gesicht verzerrt sich, sein Kopf fällt zur Seite. Er sieht jetzt, ganz schräg, wie die andern sich zu ihm wenden und auf ihn blicken, aber keiner rührt sich von der Stelle, keiner kommt zu ihm, sie sehen ihn nur schweigend an von ihren Plätzen aus, und erst nach ein paar Sekunden, nachdem Antonia etwas sagt, kehren sie sich wieder ab von ihm, und er sieht sie, wie sie ihre Gläser in die Höhe halten und trinken, sie reden weiter, als ob nichts geschehen wäre. Sie halten mich doch für verrückt, flüstert er vor sich hin, und er rutscht langsam vom Sessel herunter auf den Boden. Die andern kommen jetzt zu ihm, sie beugen sich zu ihm herunter, Errico streicht ihm mit der Hand übers Gesicht, etwas verlegen, aber zärtlich, und Antonia gießt ihm kaltes Wasser über die Stirn...
J. schrieb ihm aus Berlin, er habe sich jetzt der Kommune des Living-Theatre angeschlossen. Und er schickte ihm ein Flugblatt.

Frei sein von Klassen
Frei sein von Vorurteilen
Frei sein von Haß
Frei sein von Besitz
Frei sein von Strafe
Frei sein vom Staat
Frei sein heißt: sich ändern können,
Revolutionär sein, ohne Geld leben.

La revolution est basée sur l'amour.
La revolution ne veut pasla violence,
mais la vie.

Im Prozeß gegen Netschajew (1872 in Petersburg) spielte als Belastungsindiz ein schmales Büchlein eine Rolle, das man bei der Verhaftung in seinem Besitz gefunden hatte. Es war chiffriert abgefaßt. Der Klartext ergab *Regeln für Revolutionäre*.* Netschajew bekannte sich als sein alleiniger Verfasser. Die Ankläger waren der Meinung, das Werk würde eher die Sprache von Bakunin verraten. Nikolaj Utin (von der Internationale) bezeichnete ebenfalls nach Kenntnisnahme des Textes Bakunin als den Urheber. Bakunin hat dem nicht widersprochen.
Ross, der nach der Verhaftung Netschajews nach Paris gefahren war und dort in einem möblierten Zimmer seinen Nachlaß sicherte, behauptete, den *Katechismus für Revolutionäre* in der Handschrift Bakunins gefunden und vernichtet zu haben. Nettlau glaubte an eine gemeinsame

* auch bekannt als *Katechismus für Revolutionäre*. Nicht zu verwechseln (was häufig getan wird) mit dem *Revolutionären Katechismus* aus dem ›Sozialrevolulionären Programm‹, das Bakunin 1865/66 verfaßt hat.

Verfasserschaft von Bakunin und Netschajew. Zu dieser Ansicht kam auch Thomas G. Masaryk in seinen Studien zur Russischen Geschichts- und Religionsphilosophie (1913). Der Leiter des Bakunin-Archivs in Amsterdam, Arthur Lehning, hält Netschajew für den alleinigen Autor. (›Eine radikale Sprache, die B fremd war.‹) Er beruft sich auf einen Brief vom 2. Juni 1870 von B an N., der erst im Jahre 1967 aus dem Nachlaß von Nathalie Herzen bekannt wurde. Darin distanziere sich B von den Ideen Netschajews, er schreibe darin ausdrücklich: ›Euer Katechismus‹ (wasche Ketechisiz).
Die Niederschrift wird datiert für den Sommer 1869 in Genf.

Er übersetzte den Katechismus für Revolutionäre neu. Verwundert sah er auf die Sätze, die sich vor ihm auftürmten. Er erschrak vor ihnen. Er wollte, daß sie ihn nichts angingen. Er wäre nicht fähig dazu gewesen, zu dieser Askese und Hingabe. Es waren Ordensregeln für die *Priester der Revolution.*

Die Welt verändern. Marx.
Das Leben ändern. Rimbaud.

Er könne nicht begründen, was da geschehen sei, es sei wohl auch kein äußerer Anlaß dafür notwendig, aber es

REGELN FÜR REVOLUTIONÄRE (Auszüge)

Pflichten des Revolutionärs gegen sich selbst

§ 1. Der Revolutionär ist einer Sache geweiht. Er hat keine persönlichen Interessen, Geschäfte, Gefühle, Bindungen, Besitztümer, er hat nicht einmal einen Namen. Alles in ihm ist aufgesogen von einem einzigen Interesse, einem einzigen Gedanken, einer einzigen Leidenschaft: der Revolution.

§ 2. In der Tiefe seines Wesens, nicht nur in Worten, sondern wirklich, hat er jedes Band gelöst, das ihn mit der bürgerlichen Ordnung und der gesamten zivilisierten Welt verknüpft, mit den Gesetzen, dem Abstand, der Moral und den Konventionen, die in dieser Welt anerkannt sind. Er ist ihr unerbittlicher Feind, und wenn er fortfährt, in ihr zu leben, so nur, um sie umso sicherer zu zerstören.

§ 3. Ein Revolutionär verachtet jede Lehrmeinung und verzichtet auf alle Wissenschaft von der Welt; er überläßt sie zukünftigen Geschlechtern. Er kennt nur eine einzige Wissenschaft: die Zerstörung. Für sie und nichts anderes studiert er die Mechanik, die Physik, die Chemie und vielleicht die Medizin. Mit demselben Ziel studiert er Tag und Nacht die lebendige Wissenschaft – die Menschen, die Charaktere, die Machtstellungen in der gegenwärtigen gesellschaftlichen Ordnung und alle deren Bedingungen auf allen nur möglichen Ebenen. Das Ziel bleibt das gleiche – die möglichst rasche und sichere Zerstörung dieser fauligen Ordnung.

wäre etwas geschehen, mit ihm und in ihm, hier in der Schweiz, in der Distanz zu den politischen Ereignissen draußen, ja möglicherweise könne es damit etwas zu tun haben, nein, kein Sinneswandel oder so, er habe nur auf einmal festgestellt oder besser gesagt, es sei ihm da auf einmal klar geworden, daß er kein Anarchist sei, wenn man die politische Bedeutung dieses Wortes dafür nähme, eher ein Basarow-Typ. Er sei eben viel zu sehr Individualist gewesen, von Anfang an und eigentlich immer, und nur zeitweise habe er sich einer Gemeinschaft anschließen können wie damals in jenem Sommer, als sie alle an das gleiche dachten, das erst mache ja eine revolutionäre Situation aus, davon sei auch B immer ausgegangen. Er sei freilich eher typisch für den Mitläufer, der sich rasch begeistere, der aber in seinem Enthusiasmus schnell nachlasse, und so sei es auch gekommen, statt revolutionärer Aktivität (an eine richtige Revolution habe er nie geglaubt) habe man Lehrsätze und Dogmen hervorgezerrt, vorangetragen und nachgebetet, ein richtiger Bürokratismus habe sich da bereits eingeschlichen. Zum individuellen Terror habe ihm ganz einfach der Mut gefehlt, ja, das gebe er zu. Sie hätten darüber in München wieder und immer wieder diskutiert, damals in der Kommune in der Kaiserstraße, das heißt eine richtige Kommune sei das ja nicht gewesen, aber man habe sich dort immer getroffen, und einige hätten auch ständig zusammengewohnt. Solche Gespräche wurden freilich nur zwischen drei oder vier Leuten geführt, und sie wurden mehr als Möglichkeit für die Zukunft entworfen. Aber es gab damals schon Entscheidungen (und sei es auch nur vor dem eigenen Gewissen), denn es sollte nicht allein bei Bekenntnissen bleiben. Theoretisch hatten sie einen solchen Fall auch schon durchgespielt, so-

§ 4. Er verachtet die öffentliche Meinung. Er verachtet und haßt die gegenwärtige gesellschaftliche Moral in all ihren Grundregungen und Äußerungen. Für ihn ist alles moralisch, was den Sieg der Revolution begünstigt, alles unmoralisch und verbrecherisch, was sie hindert.

§ 5. Der Revolutionär ist einer Sache geweiht. Er kennt kein Mitleid mit dem Staat im allgemeinen und für die ganze gebildete Klasse der Gesellschaft, und ebensowenig darf er Mitleid mit sich selbst haben. Zwischen ihm und der Gesellschaft herrscht ein Kampf auf Leben und Tod, offen oder versteckt, aber jedenfalls unaufhörlich und unversöhnlich. Er muß sich daran gewöhnen, die Folter zu ertragen.

§ 6. Unbeugsam gegen sich selbst, muß er unbeugsam auch gegen die anderen sein. Alle Gefühle der Zuneigung, die weichen Empfindungen der Familienzugehörigkeit, der Freundschaft, der Dankbarkeit, müssen in ihm erstickt werden von der einzigen und kalten Leidenschaft zum revolutionären Werk. Es gibt für ihn nur einen einzigen Genuß, einen einzigen Trost, eine Belohnung und Befriedigung: den Erfolg der Revolution. Tag und Nacht darf er nur einen Gedanken und ein Ziel haben – die unerbittliche Zerstörung. Indem er dieses Ziel kalt und unermüdlich verfolgt, muß er bereit sein, selbst unterzugehen und eigenhändig allen den Untergang zu bereiten, die ihn daran hindern, dieses Ziel zu erreichen.

zusagen als Sandkastenspiel, beim Begräbnis von Loebe. Ein Attentat. Er selbst war dabei ausgelost worden, sich vor den Trauerzug zu werfen, um ihn zum Halten zu bringen, Reimer sollte in diesem Moment eine Bombe auf das Regierungsauto werfen. Sie waren dann auch zu dritt nach Berlin geflogen und hatten sich am Kurfürstendamm ganz vorn auf die Straße gestellt, er in der Höhe vom Kino Die Lupe, Reimer etwa am Maison de France, K. dazwischen, als Beobachter und Signalgeber. Als die Polizeikräder an ihm vorbeigefahren seien, habe er einen Stich verspürt, jetzt also hätte er vorspringen und sich vor das erste Auto hinwerfen müssen...

Ja, er habe dann davon gelesen, daß Reimer mit einer Plastikbombe einen Ölbehälter in Ingolstadt zur Explosion gebracht habe. Er habe das aber für sinnlos gehalten. Als Reimer verhaftet wurde, habe er sich in die Schweiz abgesetzt. Man hätte ihn nicht belasten können, denn er habe ja mit diesem Anschlag nichts zu tun gehabt und überhaupt Reimer seit Monaten nicht mehr gesehen...er hatte sich schon vorher mit dem Gedanken getragen, nach Locarno und nach Neuchâtel zu gehen, um sich mit der Biografie von B zu beschäftigen. Er sei erleichtert gewesen, daß er vor eine wirkliche Entscheidung niemals gestellt worden war...Also doch ein Basarow. Für den die große Veränderung ein Spiel war? Freilich galten die Spielregeln nur, so lange es ein Spiel war. Keiner habe sich je Gedanken darüber gemacht, was geschehen würde, wenn das Spiel in die Wirklichkeit umschlüge? Das Spiel funktioniere nur, wenn jeder seine Aufgabe übernähme und mitspiele. Das Attentat hätte (vielleicht) die Spielregeln verletzt. Aber so weit war es eben nicht gekommen. Die Spielregeln waren es, die nichts änderten.

§ 7. Die Natur des wahren Revolutionärs ist unvereinbar mit aller Romantik, aller Feinfühligkeit, aller Begeisterung, allem Hingerissensein; sie ist unvereinbar sogar mit dem Haß und der persönlichen Rache. Die revolutionäre Leidenschaft, die in ihm eine tägliche und stündliche Gewohnheit geworden ist, muß sich mit kalter Berechnung verbinden. Seine persönlichen Antriebe übergehend, muß er immer und überall dem gehorchen, was ihm das allgemeine Interesse der Revolution vorschreibt.

Pflichten des Revolutionärs gegenüber seinen revolutionären Genossen

§ 8. Der Revolutionär kann Freundschaft und Zuneigung nur Menschen entgegenbringen, die sich, wie er selbst, durch ihre Taten als Werkzeuge der Revolution erwiesen haben. Der Grad seiner Freundschaft, Hingabe oder anderen Verpflichtungen gegenüber einem solchen Genossen ist allein bemessen nach dessen Grad von Nützlichkeit im praktischen Werk der allesvernichtenden Revolution.

Nach längerem Schweigen habe er noch gesagt: Die Wirklichkeit müsse verletzt werden.

Dann, am Abend, in einer Kneipe, haben sie Zeitungen gekauft. Er habe auf einen Artikel hingewiesen: Angehörige der IRA haben in zwei irischen Provinzen Gutshöfe der ›German Landlords‹ angezündet. Das sei es, habe er gesagt, Propaganda durch die Tat.

Kalm erinnerte sich daran. Es war das letzte Gespräch, das er mit ihm geführt hatte.

Er hatte den Tag kommen sehen, an dem ihn das alles nicht mehr interessieren würde, die Lektüre der Briefe an Ogarjow, an Herzen, an Vogt, an Reichel, an Reclus, an Guillaume und andere, die Petitionen, Streitschriften und Auseinandersetzungen wegen der Internationale, die Polemiken und Attacken oder auch Verteidigungen in vergilbten Zeitungen; seine Besuche bei irgendwelchen Verwandten von Leuten, die mit B verwandt oder befreundet oder irgendwann einmal mit ihm zusammengekommen waren, er erfuhr nichts, was nicht schon irgendwo publiziert worden wäre (und sei es nur in entlegenen, vergessenen, anarchistischen Blättern). Die leise Erregung, der heimliche Triumph, die nur mühsam unterdrückte Freude der Entdeckung, wenn ihm ein noch unveröffentlichter Brief oder ein unbekanntes Textfragment unter die Hände kamen, hatte ebenfalls einer gewissen Gleichgültigkeit Platz gemacht: das ergab keine Veränderungen.
Er hatte sich bei einem Professor Vogt angemeldet, Lei-

§ 9. Es ist müßig, von der Solidarität unter Revolutionären zu reden; in ihr liegt alle Kraft des revolutionären Werks. Die revolutionären Genossen, die auf der gleichen Höhe von Einverständnis und revolutionärer Leidenschaft stehen, sollen soweit wie möglich alle wichtigen Angelegenheiten gemeinsam beschließen und ihre Entscheidung einstimmig treffen. Bei der Ausführung einer so beschlossenen Sache soll jeder soviel wie möglich auf sich selbst zählen. Wenn eine Reihe zerstörerischer Akte ausgeführt werden soll, muß jeder selbständig handeln und darf sich an seine Genossen nur dann um Rat und Hilfe wenden, wenn das für den Erfolg unerläßlich ist.

§ 10. Jedem Genossen müssen mehrere Revolutionäre des zweiten oder dritten Ranges unterstellt sein, das heißt solche, die noch nicht vollständig eingeweiht sind. Er muß sie als einen Teil des allgemeinen revolutionären Kapitals betrachten, der seiner Verfügung anvertraut ist. Er muß seinen Teil des Kapitals wirtschaftlich ausgeben und sich bemühen, den größtmöglichen Gewinn aus ihm zu ziehen. Er betrachtet sich selbst als Kapital, das dazu bestimmt ist, für den Sieg des revolutionären Werks ausgegeben zu werden, aber als Kapital, über das er nicht allein und ohne die Zustimmung aller vollständig eingeweihten Genossen verfügen kann.

ter der urologischen Abteilung im Kantonsspital in Bern, der, wie er erfahren hatte, auf irgendeine Weise mit jenem Dr. Adolf Vogt verwandt sein sollte, der B in den Tagen vor seinem Tode ärztlich betreut hatte. Vogt und Bs alter Freund seit der Dresdner Zeit, der Musiker Adolf Reichel, waren an Bs Krankenbett, als er am 1. Juli, vier Minuten vor 12 Uhr mittags starb. Die letzten Worte sollen gewesen sein: *Ich habe nichts mehr nötig... ich habe mein Lied ausgesungen.* Nach einer anderen Übersetzung: *Ich brauche nichts, ich habe meine Sache gut zu Ende gebracht.* (Reichel in einem Brief an Gambuzzi vom 6. Juli 1876: *Eine Stunde nach dem Tode fand ich ihn gewaschen und bekleidet und war frappiert von der Schönheit seiner Züge, auf welchen grandiose Ruhe lag.)* Darüber gab es Protokolle. Was hätte ihm dieser Professor Unbekanntes mitteilen können? Heute? – Er sagte den Besuch wieder ab.

Er schloß sich in sein Zimmer ein und ging nur noch selten weg. Auch in der Stadtbibliothek war er nicht mehr oft zu sehen. Manchmal saß er nur da, an seinem kleinen, viereckigen, mit grünem Samt überzogenen Tisch, das Licht angeknipst, vor sich die Bücher gestapelt, ungeöffnet. Er blickte auf die vergilbten Fotos und Zeichnungen, die er in einer Mappe gesammelt hatte: B, Wagner, Netschajew, Herzen, Ogarjow, Guillaume, Cafiero, – er sah sie wieder und immer wieder an, er hoffte, aus ihren Gesichtern mehr herauszulesen als aus ihren Schriften, Briefen und Aufzeichnungen, in denen er nicht gefunden hatte, was er suchte. (Aber was suchte er?)

§ 11. Ist ein Kamerad in Gefahr und es soll entschieden werden, ob er gerettet werden muß oder nicht, so soll der Revolutionär keinerlei persönliche Gefühle befragen, sondern einzig und allein das Interesse der revolutionären Sache beachten. Er muß folglich einerseits den Grad von Nützlichkeit seines Kameraden in Rechnung stellen, andererseits das Ausmaß an revolutionären Kräften, die zu seiner Befreiung nötig sind, muß abwägen, nach welcher Seite sich die Schale neigt, und demgemäß handeln.

Pflichten des Revolutionärs gegenüber der Gesellschaft

§ 12. Ein neues Mitglied, das sich nicht durch Worte, sondern durch Taten ausgewiesen hat, kann nur einstimmig in die Assoziation aufgenommen werden.

§ 13. Ein Revolutionär begibt sich in die Welt des Staates, die Welt der Klassen, die sogenannte zivilisierte Welt nur, und lebt in ihr nur deswegen, weil er an ihre nahe und vollständige Vernichtung glaubt. Er ist kein Revolutionär, wenn ihm an irgendetwas in dieser Welt liegt. Er darf nicht zögern, eine wie immer auch geartete Stellung, einen Ort oder Menschen innerhalb dieser Welt zu zerstören. Er muß alles und alle gleichermaßen hassen. Es ist sein Nachteil, wenn er mit dieser Welt durch Verwandtschaft, Freundschaft oder Liebe verbunden ist; lähmen diese Bindungen seinen Arm, so ist er kein Revolutionär.

Netschajew zum Beispiel.
Wer war er wirklich? War er wie Ogarjow ihn in Erinnerung hatte? Oder die Fürstin Obolenska? Oder der Polizeikommissär Porfirij Petrowitsch? Oder Stempkowski, der ihn als einziger wohl wirklich geliebt hatte und der ihn schließlich an die Polizei verriet, als er ihn verlassen wollte, um zu dem jungen Wladimier Sallier zu ziehen? Er war jedenfalls nicht so, wie B ihn gesehen hat.

Er nahm einige Bücher und die Mappe mit Bildern mit nach Hause. Er blieb jetzt auch tagsüber im Bett. Er wollte niemand sehen. Das war lange vorbei, die Zeit in der Café-Bar de la Poste, wo er ein paar junge Leute getroffen hatte, mit denen er sich gern unterhielt. Gespräche. Sie zogen sich hin. Es gab nichts, worüber nicht gesprochen wurde. Es war wie in der Berliner Zeit. Er wollte damals schon heraus. Weg von dem tatenlosen Gerede. Aber jeden Abend verwickelte er sich in immer neues Gerede. Gespräche. Manchmal die halbe Nacht hindurch. Herzen sagte von B, *er sei immer ein leidenschaftlicher, auch emotionaler Gesprächspartner gewesen. Karl Vogt, der ihn in Paris besucht hatte, als B gerade mit Proudhon in ein Streitgespräch über Phänomenologie geraten war, verließ bald darauf (aus Langeweile) das Haus. Am nächsten Morgen kam er auf dem Weg zum Jardin des Plantes wieder an dessen Wohnung vorbei, er öffnete die Tür und Proudhon und B saßen auf demselben Platz vor dem erloschenen Kaminfeuer und schlossen mit kurzen Worten das am Abend vorher eingeleitete Gespräch.*

Schluß damit.

§ 14. Mit dem Ziel der unerbittlichen Zerstörung kann und muß ein Revolutionär oft innerhalb der Gesellschaft leben und sich für etwas anderes ausgeben, als er wirklich ist. Ein Revolutionär soll überall eindringen, in die obere wie die mittlere Klasse, in den Krämerladen, die Kirche, das Adelspalais, die Welt der Verwaltung, des Militärs und der Literatur, in die Dritte Abteilung (Geheimpolizei) und sogar in den kaiserlichen Palast.

§ 15. Diese ganze unsaubere Gesellschaft muß in verschiedene Kategorien eingeteilt werden; die erste Kategorie setzt sich aus denjenigen zusammen, die unverzüglich zum Tod verurteilt werden. Die Genossen sollen Listen dieser Verurteilten aufstellen in der Reihenfolge ihrer relativen Schädlichkeit, im Hinblick auf den Erfolg des revolutionären Erfolgs, und in der Weise, daß die ersten Nummern vor den andern erledigt werden.

[Wolff, der ihn damals in Neuchâtel besucht hatte, erzählte, daß er ihn in einem Zustand angetroffen habe, den man am besten mit ›Totales Desinteresse an seinem eigenen Körper‹ bezeichnet. Er konnte aber keine Anzeichen von Krankheit (auch nicht von geistiger) feststellen. Er sprach normal, vielleicht etwas leiser als sonst. Auffällig war lediglich, daß er auf Fragen, die er ihm stellte, eine gewisse Zeit verstreichen ließ, ehe er antwortete. Er habe angenommen, er leide unter einer temporären Depression, was schließlich nichts Ungewöhnliches sei. Er habe ihm an diesem Nachmittag gesagt, daß er im Winter wieder nach Berlin gehen wolle. Bis dahin möchte er mit seinem Buch fertig sein, und er habe wörtlich hinzugefügt: jedenfalls mit den wichtigsten Kapiteln.
Über Einzelheiten habe er nicht gesprochen, aber er nahm an, daß es sich um die Biografie von B handelte, die er früher schon mehrfach erwähnt hatte.]

Am 30. Mai 1870 schreibt B einen ›Hirtenbrief‹ an seine Freunde, in denen er sie um Unterstützung in Sachen Neville (d. i. Netschajew) bittet. N. sei in Zürich verhaftet worden, und man befürchte seine Auslieferung nach Rußland, wo man ihn unweigerlich zum Tode verurteilen würde. Die Zeitungen werden informiert, Petitionen an den Bundesrat geschickt, eine öffentliche Versammlung in Zürich angesetzt. Da stellt sich heraus, daß die Polizei statt Netschajew Sergej Sserebrenikow verhaftet hat, der nun wieder freigelassen wird.
Am 24. Juli schreibt B aus Neuchâtel an Valerien: ›... *ich flehe dich an, um eurer selbst willen, alle eure Beziehungen zu Netschajew und zu seinem kleinen Kompagnon Wladimier*

§ 16. Die Aufstellung dieser Listen und die Einteilung in diese Kategorien darf auf keine Weise von der menschlichen Bösartigkeit des Betreffenden gelenkt sein, ja nicht einmal von dem Haß, den er den Mitgliedern der Organisation oder dem Volk einflößt. Eine solche Bösartigkeit und ein solcher Haß können sogar in gewisser Weise dazu nützlich sein, das Volk zum Aufstand aufzustacheln. Es darf dabei nur das Ausmaß an Nutzen erwogen werden, das aus dem Tod eines bestimmten Menschen für das revolutionäre Werk erwachsen muß. So müssen an erster Stelle diejenigen Menschen vernichtet werden, die der revolutionären Organisation am meisten schaden, und deren plötzlicher und gewaltsamer Tod die Regierung am meisten erschrecken und ihre Macht erschüttern kann, indem er sie tatkräftiger und intelligenter Werkzeuge beraubt.

§ 17. Die zweite Kategorie setzt sich aus Leuten zusammen, denen ihr Leben vorläufig zugestanden bleibt (!), damit sie das Volk durch eine Reihe von Ungeheuerlichkeiten zur unvermeidlichen Revolte treiben.

Sallier abzubrechen, und wenn es möglich ist, euch vor ihnen ganz zu verbergen.‹

Und in einem Brief vom 19. August klagt er Netschajew als Verräter an: ›*Ja, er hat uns verraten und zu einer Zeit verraten, wo wir alles für ihn hingaben und felsenfest zu ihm hielten. Ja, schon voriges Jahr hat er unsere Briefe gestohlen* . . . ‹

Was war zwischen dem 30. Mai und dem 24. Juli geschehen?

Es gibt kein Material darüber, keine Quellen; man wird das nie genau erfahren. Wir sind da auf Vermutungen angewiesen.

Woher dieser plötzliche Umschwung in den Gefühlen von B?

Utin berichtet, B habe Netschajew in Genf aufgesucht, um ihn zu überreden, wieder mit ihm nach Lugano zu kommen. Er könne ohne ihn nicht mehr leben. Netschajew habe nur gelacht und ihm erklärt, er wolle künftig in Genf bleiben, vielleicht später nach London gehen, um an dem Wiedererscheinen von KOLOKOL mitzuarbeiten. B habe ihn mehrfach beschworen, mit ihm zu kommen, er habe gebettelt und sogar geweint. Netschajew sei aber hart geblieben und habe ihn als ›alternde Krankenschwester der Revolution mit dem Ruhesitz Tessin‹ verspottet.

Muß man nicht Utins Zeugnis mit Vorsicht begegnen? Hatte er nicht von Marx den Auftrag bekommen, Belastungsmaterial gegen B zu sammeln, da-

§ 18. Der dritten Kategorie gehört eine große Zahl von hochgestellten Tieren an, oder Einzelne, die weder an Geist noch Tatkraft bemerkenswert sind, sondern kraft ihrer Stellung über Reichtum, Beziehungen, Einfluß oder Macht verfügen. Sie müssen auf jede mögliche Weise ausgebeutet, überlistet, verwirrt werden, dadurch daß wir uns ihrer schmutzigen Geheimnisse bemächtigen und sie so zu unseren Sklaven machen. So wird aus ihrer Macht, ihren Beziehungen, ihrem Einfluß und Reichtum ein unerschöpflicher Schatz und eine wertvolle Hilfe für verschiedene Unternehmungen werden.

§ 19. Die vierte Kategorie besteht aus verschiedenen ehrgeizigen Staatsdienern und Liberalen verschiedener Schattierungen. Mit ihnen kann man ihrem eigenen Programm gemäß konspirieren, indem man vorgibt, ihnen blindlings zu folgen. Wir müssen sie in unsere Hände bringen, ihre Geheimnisse erkunden, sie vollständig kompromittieren, so daß ihnen ein Rückzug unmöglich wird, und sich ihrer dazu bedienen, um im Staat Verwirrung zu stiften.

§ 20. Die fünfte Kategorie vereinigt in sich Doktrinäre, Konspirateure, Revolutionäre und alle solche, die in den Versammlungen und Büchern schwatzen. Sie müssen ständig in praktische und gefährliche Selbstenthüllungen getrieben und verwickelt werden, so daß sie zum größten Teil von selbst verschwinden, wobei einige unter ihnen zu wahren Revolutionären werden können.

mit man ihn aus der Internationale ausschließen könne?

Aus der gleichen Zeit gibt es einen Brief von Stempkowski, in dem er erwähnt, er habe Netschajew zweihundert Franken geben müssen, weil er gedroht habe, er würde ihn verlassen und zu B nach Lugano gehen.

Ist das jener Stempkowski, der Netschajew an die Schweizer Polizei verraten hat?

Ja. Das geschah offensichtlich aus Eifersucht. Netschajew hatte ihn verlassen und war zu Sallier gezogen. Wie unsicher übrigens die Quellen sind, kann man daran sehen, daß man bis heute nicht genau weiß, wie dieser Pole wirklich hieß, drei Schreibarten kehren in der Literatur immer wieder: Stempkowski, Stemkowski und Stenkowski.

B beklagt sich über gestohlene Briefe? Was war da geschehen?

Netschajew hat, als er bei B in Genf war, dessen Briefpapier an sich genommen, darauf konspirative Briefe geschrieben und sie in alle Welt verschickt. Er hatte behauptet, in Moskau eine Geheime Revolutionäre Gesellschaft gegründet zu haben. Er erhielt dafür von B den Bachmetjewschen Fonds mit 12500 Franken zur Verfügung gestellt. Doch diese Gesellschaft hat es nie gegeben. Netschajew hat später auch seine ›Erfindung‹ zugegeben. Die Briefe aus dieser Zeit hätten ihn belastet, deshalb habe er sie aus der Wohnung von B mitgenommen. Er lebte freilich ärmlich und hat das Geld sicher nicht für sich verwendet.

Hat Netschajew versucht, B zu erpressen?

§ 21. Die sechste Kategorie ist sehr wichtig; unter sie fallen die Frauen, die in drei Klassen einzuteilen sind: einmal die wertlosen Frauen, ohne Geist und Gefühl, die auf die gleiche Weise wie die Männer der dritten und vierten Kategorie zu behandeln sind; zum zweiten die leidenschaftlichen, fähigen und opferwilligen Frauen, die noch nicht zu uns gehören, weil sie noch nicht zu dem praktischen und phrasenlosen revolutionären Verständnis gelangt sind; sie sind wie die Männer der fünften Kategorie zu verwenden; schließlich die Frauen, die ganz auf unserer Seite sind, das heißt vollständig eingeweiht, und die unser Programm ganz und gar übernommen haben. Wir müssen sie als unseren wertvollsten Schatz betrachten, ohne dessen Hilfe wir nichts erreichen können.

Ich will nicht ich sein
Ich will wir sein
Denn das wiederhole ich tausendmal
Nur unter dieser Bedingung werden
Wir siegen wird unsere Idee siegen
Bakunin

Es gibt dafür keine Beweise.

B hat sich in diesem Sinne in mehreren Briefen geäußert.

B hat gern übertrieben, vor allem in den letzten Lebensjahren.

Wie war das mit dem Geld für die Übersetzung des ›Kapitals‹ von Karl Marx?

Netschajew hatte dem russischen Verleger, für den B die Übersetzung des ersten Bandes des ›Kapitals‹ anfertigen sollte, auf einem Briefbogen von B mitgeteilt, dieser könne die Arbeit nicht weiter fortsetzen, da er sich ganz der revolutionären Sache widmen wolle...

Ein Fälscher...

Netschajew hat es damals wirklich ernst gemeint. In dem gleichen Brief hat er sich angeboten, dem Verleger den an B bereits gezahlten Vorschuß – aus eigenen Mitteln – zurückzuzahlen. Dieser Brief wurde Marx in die Hände gespielt, der ihn durch Utin auf der Tagung der Internationale verlesen ließ.

Netschajew war von B enttäuscht?

Ja. Später schon. Netschajew hatte sich ganz der Praxis der Revolution geweiht und wollte B von seinen Verpflichtungen an die Theorie der Revolution entbinden. Er lebte für die revolutionäre Praxis und da war es für ihn selbstverständlich, daß er sich nicht um bürgerliche Gebote kümmerte. Aber B wollte und konnte ihm da nicht folgen...

Entwurf zu einer Netschajew-Biografie

Netschajews Ankunft in Genf
Die Begegnung mit Bakunin
Ogarjows Gedicht *Der Student*
Besuch bei Herzen
Die Rückkehr nach Moskau
Die Geheime Revolutionäre Gesellschaft: Beil Dolch und Revolver
Die Ermordung des Studenten Iwanow
Die Flucht
Die Sprache der Anarchie
Netschajew bei Bakunin in Genf
Gemeinsame Arbeit an den *Regeln für Revolutionäre*
Der Streit um den Bachmetjewschen Fonds
Die Enthüllungen Utins auf der Sitzung der Internationale in Den Haag
Bakunins Bruch mit Netschajew
Zürich: Stempkowski Sallier Haldin (Joseph Conrad)
Verhaftung am 14. August 1872 in Zürich und Auslieferung nach Rußland
Agitation in den Gefängnissen
Geplante Flucht
Tod in der Festung Schlüsselburg 1882
Einfluß des Katechismus
Das Prinzip Zerstörung
Die Netschajewzen Die Nihilisten

Wie es hätte weitergehen können

B nannte Netschajew in seinen Briefen:
Mein Kleiner; mein Sergej; Boy; mein kleiner Boy; kleiner Tiger; mein wildes Tier.

Er hatte gelesen, B habe sich in den Jahren der Illegalität so sehr an die konspirative Arbeit gewöhnt, daß er auch später nicht mehr davon lassen konnte. So habe er von Geheimgesellschaften gesprochen, die niemals existierten. Er habe dazu auch gleich die Mitglieder erfunden. Seinen Freund Ogarjow soll er als 100. Mitglied in die Organisation VOLKSWILLE aufgenommen haben. Sogar Listen mit falschen Namen habe er angelegt. Nach dem Erscheinen des ersten Buches des *Kapitals* habe er daran gedacht, dem Verfasser einen Orden zu verleihen. Er hatte dafür bereits die Heraldik entworfen. Beil und Hammer. Später habe er das verworfen. Sein neuer Entwurf: Sichel und Hammer.
Als Pobjednozew zurück nach Rußland ging, nahm er dieses Zeichen mit. Am 3. März 1881 schrieb er an Errico Malatesta: *Zar Alexander II. ist tot. Sein Leben ging unter in Blei, Dynamit, Haß, Blut und Feuer. Die Menschen hier strömen in die Kirchen, sie singen und weinen. (Die Attentäter hat man auf dem Semenowski-Platz gehängt.) Nur wenige denken an die Revolution. Aber eines Tages, und ich fühle, es wird nicht mehr lange dauern, wird unser Zeichen das Kreuz ersetzen. Und die Menschen hier werden nur noch singen...*

Er saß jetzt schon über ein Jahr an dem Buch. Mit dem Schreiben angefangen hatte er allerdings erst vor einigen

Wochen. Die erste Zeit hatte er ausschließlich mit dem Studium der Quellen zugebracht. Er hatte Notizen über Notizen gehäuft, Anmerkungen, Entwürfe, Zitate, Fotokopien... Er wußte nicht, wie anfangen. Eine Zeitlang glaubte er, wenn er sich nur intensiv und lange genug mit dem Thema beschäftige, werde eines Tages das Erfahrene (das Gedachte) zusammenschießen, und der Anfang wäre da... Aber das stellte sich nicht ein. Er wartete. Er entwarf immer neue Anfänge. Es war die unfruchtbarste Zeit. Dann schrieb er einfach drauf los. Aber schon unterm Schreiben spürte er das Unbehagen. Seite um Seite blieb im Ungefähren. Als er wieder las, was er da aufgeschrieben hatte, erfaßte ihn die doppelte Trauer, die erst aufgehoben wurde, wenn er von neuem anfing zu schreiben. Es war alles unwirklich, fern, abstrakt, historisch; ihm nicht mehr zugehörig. Manchmal fragte er sich, ob er noch derselbe sei, der damals auf dem Beethovenplatz eine Rede zu den Notstandsgesetzen gehalten hatte, vor fünftausend Menschen, er glaubte jetzt, er sei diese Person nicht mehr, er kramte eine Broschüre unter Büchern und Zeitungen hervor, er schlug sie auf, da stand sein Name eingedruckt, aber als er es las, merkte er, es waren nicht seine Worte, nicht seine Sätze, nicht die von heute, es war nicht seine Stimme. Er zerriß das Heft.

Er setzte sich wieder hin, an den kleinen Marmortisch, er wollte von vorn anfangen und anders, ganz anders schreiben. Nach einer Weile stand er auf, holte ein Buch hervor, blätterte darin herum, las hier ein paar Zeilen, dort ein paar Seiten, dann legte er es wieder hin. Er schrieb weiter, schrieb die ganze Nacht hindurch, und am Morgen sah er, daß er nicht mehr als zwei Seiten angefüllt hatte, mit kleinen schwarzen rundlichen Buchstaben. Er las jetzt noch einmal, was da auf dem Papier geschrieben war (er war übermüdet, die Augen schmerzten, der Mund war trocken), es gefiel ihm schon besser, aber er war noch nicht zufrieden damit, es sollte anders sein, ganz anders als das, was er bisher geschrieben hatte.

Vielleicht so:
glatte blanke Messerschneiden faconnierte blanke Fallbeile glatte und faconnierte Bajonette geknüpfte und geschmalzte Galgenstricke das schöne alte ehrwürdige traditionsbewußte aristokratische proletarische klerikale soldatische polizeiliche juristische mörderische wohlerhaltene gutbewahrte sich verjüngende sich fortentwickelnde sich treubleibende Arsenal der Folter Säbel Latten Spieße blutig rostig Polizeiknüppel zwischen die Beine gehängt in die legislative und exekutive Hand genommen mit dem privilegierten Arm gehoben auf den Kopf der nur ein Kopf ist geschlagen Kanonen vor die man sie fesselte sie zu kartätschen die Kaliber die Schüsse aus allen Rohren die tödlichen Schüsse die verstümmelnden Schüsse die einschüchternden Schüsse die Friedhofsruhe die Steine die Barrikaden die Nachttöpfe die Pfannen die Schmiedehämmer die Lunte am Pulverfaß die Gehenkten die Geköpften die Gepfählten die Aufgespießten die Gevierteilten die Ertränkten die Rebellen das Musée de la Marionette

Sätze schreiben, die nicht der Verdinglichung verfallen.

Er wollte aufhören, er hatte genug von B, das alles interessierte ihn nicht mehr. Er sah die andern, in der Bibliothek, im Supermarkt, in den Cafés, auf den Straßen, im Bus, er sah sie in ihrer miesen Geschäftigkeit, und sie waren ganz weit: er entfernte sich immer mehr.

Er blieb jetzt einfach im Bett. Auch am Tag. Er ließ sich von einem Nachbarjungen etwas zum Essen holen. Aus dem Haus ging er nicht mehr. Er las immer noch viel. Auf dem Bett und daneben auf dem Stuhl, und auch auf dem Boden, lagen Bücher, manche aufgeschlagen, manche mit Lesezeichen oder einem Bleistift darin. Zeitungen interessierten ihn nicht mehr.

Er hörte sich das Lied der italienischen Anarchisten an, die in Lugano ihre Zuflucht gefunden hatten, und denen die Schweizer Regierung in den Neunziger Jahren die Pässe nicht verlängerte.

> Addio, Lugano bella,
> o dolce terra pia.
> Scacciati senza colpa
> gli anarchici van via.
> E partano cantando
> colla speranza in cuor.
> Ed è per voi, sfruttati,
> per voi, lavoratori
> che siamo ammanettati
> al par dei malfattori!
> Eppur la nostra idea
> non è chel' idea d'amor.

Anonimi compagni,
amici che restate,
le verità sociali
da forti propagate.
    E' questa la vendetta
    che noi vi domandiam.
Ma tu che ci discacci
con una vil menzogna,
repubblica borghese
un di ne avarai vergogna.
    Ed oggi t'accusiamo
    in faccia all'avvenir.
Banditi senza tregua
andrem di terra in terra,
a predicar la pace
ed a bandir la guerra.
    La pace fra gli oppressi,
    la guerra agli oppressor.
Elvezia il tuo governo
schiavo altrui si rende
di un popolo gagliardo
le tradizioni offende.
    E insulta la leggenda
    del tuo Guglielmo Tell.
Addio cari compagni,
amici luganesi,
addio bianche di neve
montagne ticinesi.
    I cavalieri erranti
    son trascinati al nord.

Er hörte sich die Platte an. Immer wieder. Das ging schon seit Tagen so.

Statt er: *ich* schreiben
statt wir: ich
statt er hatte: er hat
statt er wollte es tun: er hat es getan
statt er würde es tun: er tut es
statt indirekte Rede: direkte Rede
statt Vergangenheit: Gegenwart
statt Reflexion: Aktion
statt zu schreiben: handeln

Auch das ein Beweis der Ohnmacht.

Er habe es nicht getan, um die Zeit zu vertreiben, sondern um die Zeit aufzuhalten. Mit Haschisch zum Beispiel. Mit Mescalin. Mit Preludin. Oder mit Captagon, das war am einfachsten zu beschaffen. Auch das Flippern gehörte dazu. Oder das stundenlange, ununterbrochene Anhören von Jimi Hendrix. Opium habe er nur einmal genommen, es sei ihm dabei schlecht geworden. J, mit dem zusammen er Opium gegessen habe, sagte zu ihm: Der Gott der Droge ist dir nicht geneigt, er stößt dich aus. Haschisch konnte man eine Zeitlang in München ohne größere Schwierigkeiten bekommen. Im Hasch sei die Zeit die Summe erotischer Augenblicke. Im Mescalin hingegen gäbe es keine Zeit mehr. Anfang und Ende seien gleichzeitig und immer. Die Welt sei ein Zustand aus Raum und Farbe. Der Zeit würde man sich erst dann wieder bewußt, wenn die Wirkung zurückginge und die Farben verblaßten. Bei Preludin wäre jede Handlung, und sei es das Wasserlassen, ein Ereignis. Flippern, ja, das sei auch so etwas; da fiele die Zeit aus dem Bewußtsein. Als das Flippern zur Mode wurde, habe er damit aber schon aufgehört. Besser sei da das Hören von Jimi Hendrix. Auch das eine Art Droge, die freilich am intensivsten wirke im Zusammenspiel mit Hasch. Wie überhaupt die Amerikaner da eine bestimmte Art von Musik als Rauschzustand entdeckt hätten. Die Feier der Droge erfahre man aber erst, wenn einem die Zeit ins Bewußtsein dringe und dort stehenbleibe. Als ein Zustand von Unverrückbarkeit, von Dauer, von Ewigkeit. Es gäbe im Mescalinrausch Momente, in denen man geradezu Angst bekäme, von nun an müsse man immer in diesem Zustand verharren und es gäbe niemals mehr eine Veränderung. Die Zeit bliebe stehen, aber das Bewußtsein ginge weiter und erobere sich Gebiete der Wahrnehmung, die vorher blind und stumm gewesen waren. An irgendein Mittel habe er sich aber nicht gewöhnt, nein. LSD habe er niemals genommen. Davor habe er Angst gehabt, ja.

Vorschlag für Raubdrucke:

Max Nettlau: Michael Bakunin. Eine biographische Skizze. Berlin 1901. Nachwort von Gustav Landauer

Victor Dave: Michael Bakunin und Karl Marx. Zürich 1905

Eduard Bernstein: Karl Marx und Michael Bakunin. Tübingen 1910

Rudolf Rocker: Johann Most. Das Leben eines Rebellen

Rudolf Rocker: Der Bankrott des russischen Staatskommunismus. Berlin 1921

Max Nettlau: Errico Malatesta. Das Leben eines Anarchisten. Berlin 1922

Rudolf Rocker: Die Tragödie von Spanien
Alexander Berkmann: Die Kronstadt-Revolution. Berlin 1923
Alexander Berkmann: Die russische Tragödie
Emma Goldman: Die Ursachen des Niedergangs der russischen Revolution
Vera Figner: Nacht über Rußland. Erinnerungen. Berlin 1924

Das Gefühl gewinnen, nicht (mehr) allein zu sein. So zu denken wie die andern. So zu fühlen wie die andern. So zu sprechen wie die andern. So zu handeln wie die andern. Die immereine Sprache.
Irgendetwas tun, allein, in seinem Zimmer. Erfahren, daß die andern das auch getan haben, jeder von ihnen, allein, in seinem Zimmer.
Später entdecken, daß das nur Täuschungen waren. Die Übereinstimmungen nur auf der Oberfläche. Und auch da schon die Risse sichtbar.

Diese Wörter, eine Liste von Wörtern, die er in der letzten Zeit gesammelt hatte, Wörter, die Verletzungen waren, Beschädigungen, Risse in der Haut; Aufruhr; Wörter, mit denen er eine Geschichte erzählen wollte, bruchstückhaft, allein mit diesen Wörtern, mit diesen Reizwörtern, und alle sollten zuhören und dann sagen: ja, genauso ist es gewesen, jetzt werden wir das niemals vergessen, nach dieser Beschreibung; er wollte alles ausdrücken mit diesen Wörtern, wollte sie ausbeuten, aus-

pressen, auswringen, hin und her walken, ausquetschen, abklopfen, aufsprengen, zerstören – er wollte sehen, ob sie sich wehren, ob sie sich verschließen, verkriechen, ob sie fliehen, ob sie zerplatzen, ob sie sich entziehen, ob sie verstummen – oder ob sie sich auf ihn stürzen werden, ihn einkreisen, überfallen, schlagen, zerbrechen, zerstören oder gar verschlingen, bis er selbst nicht mehr vorhanden ist, nur noch sie, die Wörter, nur noch die Wörter, nur noch sie allein, die Wörter.
Die Wörter und die Leere.

In Petersens Geschichte der Russischen Literatur las er, Turgenjew habe den Titelhelden seines Romans ›Rudin‹ nach dem Vorbild von B geschaffen. B war mit Turgenjew in den Vierziger Jahren befreundet gewesen; sie hörten gemeinsam in Berlin Vorlesungen bei Schelling und begegneten sich auch einige Male in Paris. Bei Guillaume fand er den Hinweis, B habe sich in den letzten Monaten vor seinem Tod mehrfach aus ›Rudin‹ vorlesen lassen.

Als Loetscher ihn in Neuchâtel besuchte, hatte er ihm von der Lektüre dieses heute verschollenen Romans erzählt. Turgenjew habe B verzerrt gesehen, zu äußerlich und zu sehr befangen in der Mentalität des kleinen russischen Gutsbesitzers. Die revolutionäre Tätigkeit handle er im Epilog auf einer Seite ab und natürlich lasse er den Helden auf den Barrikaden von Paris sterben – ziemlich unvermittelt übrigens. Daß B dieses Buch zuletzt geliebt haben soll, erkläre er sich auf folgende Weise. Und er entwarf dabei diese Szene:

Als B in die Villa Besso in Lugano gezogen war, hatte er jeden Kontakt mit Cafiero und den übrigen italienischen Revolutionären aus der Baronata verloren. Eines Tages war plötzlich, zu seiner großen Überraschung, Arkadij Tjugin gekommen, und er blieb gleich mehrere Tage. Cafiero wisse nichts von diesem Besuch, und es sei wohl besser, es würde auch in Zukunft geheim bleiben. In Wirklichkeit hatte Cafiero Tjugin nach Lugano geschickt, um B beobachten zu lassen. B hatte Tjugin früher nicht sehr geschätzt, er war ihm zu verschlossen und zu kühl gewesen; er vermißte an ihm, was ihn an jungen Menschen begeisterte, ein leidenschaftliches Feuer der Idee. Aber jetzt war er glücklich, mit ihm russisch sprechen zu können, und er machte sich schon Vorwürfe, ihn früher nicht würdig genug behandelt zu haben. Eines Tages bat er Arkadij, ihm aus ›Rudin‹ etwas vorzulesen. Er hatte das Buch zum ersten Mal im Jahre 1856 in die Hände bekommen, Murawjew hatte es ihm aus Moskau nach Sibirien mitgebracht mit den Worten: Ganz Rußland spricht von dir, denn du hast für diesen RUDIN das Porträt abgegeben. Er hatte damals darin gelesen, voll Verachtung für den Verfasser, und er hatte überall Striche und Fragezeichen eingezeichnet und dann das Buch an Turgenjew zurückgeschickt. Jetzt, als Arkadij die ersten Seiten vorlas, glaubte er, es wäre ein anderes Buch. Hatte er sich so sehr geändert? Oder die Zeit? Die wehmütige, melancholische Stimmung des russischen Landlebens ergriff ihn...

Weiter sagte er, weiter, überschlagen Sie die ersten hundert Seiten. Ich werde Rußland nicht mehr sehen, nicht mehr als Lebender. Lesen Sie weiter. Und als Arkadij von Darja Michailowna las, von Natalja Alexejewna und dem geschwätzigen Pigassow, da winkte er wieder ungeduldig ab. Weiter, sagte er, weiter, lesen Sie über Rudin, lesen Sie das, was über mich geschrieben steht!

An Genialität fehlt es ihm nicht, erwiderte Leschnew: – aber Natur – das ist ja sein ganzes Unglück – Natur hat er nicht... Doch nicht davon, sondern daß er schöne und seltene Wesenszüge hat, davon wollte ich sprechen. Er ist voll Begeisterung; das ist in unseren Tagen, sie können es mir, einem phlegmatischen Menschen, glauben, die allerkostbarste Eigenschaft. Wir alle sind unerträglich berechnend, gleichgültig und träge geworden; wir sind eingeschlafen, wir sind erstarrt und müssen jedem danken, der uns, wenn auch nur auf einen Augenblick, aufrüttelt und erwärmt! Es ist ja die höchste Zeit? Erinnerst du dich, Sascha, ich habe mit dir einmal über ihn gesprochen und ihn der Kälte beschuldigt. Ich hatte damals recht und unrecht zugleich. Diese Kälte liegt ihm im Blut – daran ist er nicht schuld – und nicht im Kopf. Er ist kein Schauspieler, wie ich ihn genannt habe, kein Betrüger, kein Schurke; er lebt auf fremde Kosten, aber nicht als Schleicher, sondern als Kind... Ja, er wird irgendwo in Elend und Armut sterben; sollte man aber deshalb einen Stein auf ihn werfen? Er selbst wird nie etwas vollenden, ausführen, weil er keine Natur, kein Blut hat; aber wer hat das Recht zu sagen, daß er keinen Nutzen bringt oder brachte? Daß seine Worte nicht viele gute Samenkörner in junge Seelen gesenkt haben, denen die Natur nicht wie ihm, Tatkraft und das Vermögen, eigene Pläne zu verwirklichen, versagt hat? Habe ich ja doch, ich vor allem, alles dies an mir selbst erfahren... Sascha weiß, was Rudin mir in meinen jungen Jahren gewesen ist.

Bravo! Bravo! rief Bassistow: – wie wahr ist das gesprochen! Was jedoch Rudins Einfluß betrifft, so schwöre ich Ihnen, daß er

nicht bloß einen Menschen aufzurütteln im Stande war, sondern ihn auch weiter trieb, ihm die Zeit nicht ließ, stehen zu bleiben, ihn um und um kehrte, ihn entflammte, begeisterte!
Das Unglück Rudins besteht darin, sagte Leschnew weiter, daß er Rußland nicht kennt – und das ist wirklich ein großes Unglück. Rußland kann ohne jeden von uns auskommen, aber keiner von uns ohne Rußland. Wehe dem, der es glaubt, zweimal wehe dem, der tatsächlich ohne Rußland auskommt! Kosmopolitismus – ist Unsinn, der Kosmopolit – eine Null, weniger als eine Null; außerhalb des eigenen Volkes gibt es weder Kunst noch Wahrheit, noch Leben, gibt es Nichts. Ich muß aber wieder darauf zurückkommen, Rudins Schuld ist es nicht: es ist sein Schicksal, ein bitteres und schweres Schicksal, für das wir ihn nicht beschuldigen wollen. Es würde uns zu weit führen, wollten wir untersuchen, weshalb bei uns diese Rudins erscheinen. Aber dafür, daß er manch Gutes in sich hat, wollen wir ihm dankbar sein... Und gebe Gott, daß sein Unglück alles Schlechte in ihm wegätze und nur das Schöne übriglasse! Ich trinke auf Rudins Gesundheit! Ich trinke auf das Wohl des Gefährten meiner besten Jahre, ich trinke auf die Jugend, auf ihre Hoffnungen, auf ihre Bestrebungen, auf ihr Vertrauen und ihre Ehrenhaftigkeit, auf all das, wofür im Alter von zwanzig Jahren unsere Herzen geschlagen haben und was im späteren Leben nichts aus unserem Gedächtnis verdrängen konnte, verdrängen wird... Ich trinke auf dich, du goldene Zeit, ich trinke auf Rudins Wohl!
B hatte sich erst die Augen gewischt, dann – nach einer Zeit – fing er an zu lachen, er lachte, er lachte so sehr, daß sein ganzer Körper bebte und er einen Hustenanfall bekam. Nachdem er sich beruhigt hatte, bat er: Lesen Sie weiter, Arkadij Andreitsch, lesen Sie das Ende...

In der heißen Mittagsstunde des 26. Juni 1848, in Paris, als der Aufstand der ›Arbeitervereine‹ fast unterdrückt war, stürmte ein Bataillon Linientruppen in einer der engen Quergassen der Vorstadt St. Antoine eine Barrikade. Einige Kanonenschüsse hatten sie bereits in Schutt gelegt; ihre Verteidiger, soweit sie am Leben geblieben waren, zogen sich zurück und waren nur noch auf ihre eigene Rettung bedacht, als plötzlich auf dem höchsten Punkte der Barrikade, auf dem eingeschlagenen Kasten eines umgestürzten Omnibusses, ein hochgewachsener Mann sichtbar wurde in einem alten Rock, mit einer roten Schärpe umgürtet, mit einem Strohhut auf dem weißen, unordentlichen Haar. In der einen Hand hielt er eine rote Fahne, in der anderen einen stumpfen Krummsäbel und schrie etwas mit angestrengter, scharfer Stimme, während er dabei höher hinaufkletterte und mit der Fahne und dem Säbel Zeichen machte. – Ein Vincenne-Jäger legte auf ihn an – ein Schuß fiel . . . der große Mann ließ die Fahne sinken und fiel wie ein Sack auf das Gesicht, als wollte er sich vor jemandem verbeugen . . . Die Kugel war ihm mitten durchs Herz gedrungen.
– Tiens! sagte einer der fliehenden Insurgenten zu einem anderen:
– on vient de tuer le polonais!
– Bigre! antwortete jener: – sauvons-nous! und beide stürzten in den Keller des Hauses, dessen Fensterläden alle geschlossen waren und dessen Wände überall Spuren von Kugeln und Kartätschen zeigten.
Dieser ›Polonais‹ war Dimitri Rudin.

Merken Sie was, hatte er den zuhörenden Loetscher gefragt. Das Leben eines Revolutionärs wird zu Genrebildchen erniedrigt. Knallbunte Bilderbogen aus historischer Zeit. Kinobilder. Verstehen Sie jetzt, warum ich aufgegeben habe. Es wird nicht lange dauern und Hollywood

wird das Leben von B verfilmen. Was für ein Stoff! B in den Berliner Salons, bei Tieck, Varnhagen, bei Schelling, B wandert mit Herwegh und Weitling durch die Schweiz. B besucht Marx und Proudhon in Paris, er nimmt teil an der Februar-Revolution 1848 in Paris, geht von dort nach Breslau, um den aufrührerischen Polen näher zu sein. Beim Pfingstaufstand ist er in Prag – er war als Delegierter zum Slawenkongreß gekommen, jetzt leitet er vom Clementinum aus den Widerstand gegen die Truppen Schwarzenbergs. In der Mai-Revolution 1849 in Dresden steht er wieder auf den Barrikaden, er gehört mit Heubner, Röckel und Richard Wagner zu den aktivsten Revolutionären. In Chemnitz wird er verhaftet. Die sächsischen und russischen Gefängnisse, die sibirische Verbannung. Die Flucht über den Amur nach Japan. B wieder in Europa, er geht nach London zu Herzen. Seine Aktivität in der Internationale, in Zürich, Genf, in St. Imier, der Krach mit Marx und die Spaltung. B in Lyon und Marseille. B beim Aufstand in Bologna, der scheitert, noch ehe er richtig begonnen hat. Seine Flucht, seine Resignation, seine Krankheit, sein Tod in Bern...
Klingt das nicht phantastisch, habe er geschrien..., er hätte dafür auch schon einen Titel: EIN LEBEN FÜR DIE REVOLUTION, oder noch besser DER SATAN DER REVOLTE, das wäre doch kassenfüllend. Heute sei genug Zeit vergangen, um sich auf dem Wege des Kinos einen Rebellen heimzuholen in die bürgerliche Gesellschaft. Ja, ja, aber vor Dutschke hätten sie immer noch Angst...und Reimer verachteten sie, weil er einen Ölbehälter in Ingolstadt in die Luft gesprengt habe. Die Vera Figners kommen noch, habe er geschrien, die Propaganda durch die Tat, das ist ein legitimes anarchistisches Mittel. Warten Sie nur, warten Sie nur ab...

Er, Loetscher, habe ihm daraufhin (etwas grob) gesagt, er könne doch B nicht den Bombenanarchismus anlasten, das sei eine Art Vulgär-Anarchismus, der mit der Revolutionstheorie von B überhaupt nichts zu tun habe. Aber er habe sich nicht beirren lassen und erregt weiter geschrien, gerade dies sei die Konsequenz des Denkens von B gewesen und zwangsläufig mußte das spätestens durch seine Schüler (und er wiederholte: durch seine Schüler) zum Bombenanarchismus führen, der ja nichts anderes sei als eine Propaganda durch die Tat, wovon B immer gesprochen habe...

Er habe immer mehr geschrien, und da sei er, Loetscher, dann gegangen.

Er hatte seit längerer Zeit nicht mehr die Schublade im Schreibtisch geöffnet, aber er hatte oft hingesehen. Das da, da drin, das bleibt mir immer, dachte er. Er schob die Schublade auf und sah auf das runde schwarze Metall.

Auch das Radio ist Zerstörung der Stille durch Geräusche, nichts, was verändert, endlich verändert, früher die Gespräche, die Lieder auf der Straße, die Polizeisirenen, die anfeuernden Schreie, das Klatschen der Gummiknüppel, das Johlen der Menge, jetzt die isolierte Trauer der einfallenden Nacht, die Leere
die Abnutzung der Sprache
der Verfall der Wörter
die Trauer der Vogelscheuchen
Trauerrevolte

Er hatte jetzt auch mit dem Lesen aufgehört. Er packte die Bücher in eine Aktentasche und brachte sie in die Stadtbibliothek zurück. Er mußte den Weg zweimal machen, weil es zu viele Bücher waren. Das erste Mal hatte ihn der Bibliothekar gefragt, ob er mit seiner Arbeit jetzt fertig sei. Er hatte nicht geantwortet. Als er zum zweiten Mal einen Stapel Bücher zurückbrachte, hatte der Bibliothekar seine Frage wiederholt, und er hatte, sehr schnell und sehr scharf, hervorgestoßen: Ja, ich bin fertig. Ich bin fertig.
Das habe sich sehr seltsam angehört, sagte später der Bibliothekar. Übrigens habe er ein Buch nicht zurückgegeben, ›Rudin‹ von Turgenjew, sagte später der Bibliothekar.

Außer uns selbst haben wir nichts. Außer unserem Gesicht und der eigenen Stimme haben wir nichts. Es kommt darauf an, die eigene Stimme zu hören.

Da lag sie. Eine Handgranate, die wie ein schwarzes Ei aussah. Es war ein schöner Gegenstand, schwarz, geheimnisvoll, unbestechlich. Ein dünner roter Ring befand sich in der Mitte. Wenn er an diesem Ring zog, dann dauerte es genau vier Sekunden – einundzwanzig zweiundzwanzig dreiundzwanzig vierundzwanzig – bis die Granate explodierte. Zerstörung und Beschädigung von Menschen und Gegenständen in einem Umkreis von vier Quadratmetern im Freien und in einem Umkreis von acht Quadratmetern in geschlossenen Räumen: das hatte man ihm gesagt, als man ihm dieses schwarze, kalte, metallische Etwas übergab. Er hatte es in der Hand gehalten und lange betrachtet und danach, als habe ihn plötzlich Angst überfallen, ganz rasch in die Schublade gelegt. Da lag es. Niemals mehr seitdem hat er die Schublade geöffnet. Aber er erinnerte sich immer daran, wenn sein Blick darauf fiel, und das geschah mehrmals am Tag. Jetzt, wo er nur noch selten wegging, geschah es sogar häufiger...unwillkürlich. Manchmal dachte er daran, dieses schwarze Etwas zu vergraben, irgendwo an einer einsamen Stelle, oder es in den See zu werfen, oder es einfach bei einem Spaziergang zu verlieren.

Aber dann stellte er sich vor, daß er es doch einmal gebrauchen könnte.

Wenn sie kommen, ihn zu verhaften.

Er wird über die Straße rennen, einer wird ihm nachschreien Halt Halt Stehenbleiben oder ich schieße, und da wird er auch schon einen Schuß hören, und er wird seinen Lauf verlangsamen und das schwarze Etwas aus der Jackentasche nehmen, er wird den Mittelfinger in den Ring schieben und ihn dabei herausziehen, und er wird sich umdrehen und im Umdrehen den Verfolgern die Granate vor die Füße werfen. Im Weglaufen wird er die Explosion hören, aber er wird sich nicht mehr umdrehen, er wird weiterrennen, weiter.

Oder er wird wegrennen, gerade wenn sie ihm Handfesseln anlegen wollen, es wird Mittag sein und die Straßen voller Menschen, sie werden nicht wagen nach ihm zu schießen. Sie werden ihm nachlaufen und versuchen, ihn einzuholen, sie werden schreien. Er wird in ein Café flüchten, er wird sich mitten unter die Leute stellen, er wird laut sagen (aber nicht schreien): Bitte, bewahren Sie Ruhe, es geschieht nichts, wenn Sie alle Ruhe bewahren.

Und dann wird er aus der Jackentasche das schwarze Ei hervorholen, wird es wiegend in der Hand halten, und in die Richtung der Tür rufen, wo sich seine Verfolger versammeln: Wenn Sie eindringen, lasse ich das Ding explodieren. Er wird das ›Ding‹ sagen und wird es vor sich herhalten und wird es zeigen, und sie alle werden verstummen und sich nicht von ihren Plätzen bewegen, sie werden erstarren, die da drinnen wie auch die da draußen, und die Sekunden oder gar Minuten werden für sie eine Ewigkeit lang dauern. Und dann, irgendwann, nach der Ewigkeit, wenn wieder die Zeit da sein wird und die anderen wieder gegenwärtig, und die Verfolger von allen Seiten auf ihn eindringen, da wird er an dem Ring ziehen und ihnen das schwarze Ding entgegenschleudern. Würde das nicht symbolisch sein: er allein, inmitten der Menge allein?

Aber das wird nicht geschehen. Er wußte es.

Er wird sich, wenn sie kommen und an der Tür klingeln, (vielleicht) noch rasch eine Spritze in die Vene jagen. Und dann wird er an die Tür gehen und öffnen, und er wird sie ansehen, mit einem Lächeln, schon fast entrückt, und er wird sich nicht wehren, wenn sie ihm Handfesseln anlegen und ihn nach Waffen durchsuchen, und sie werden, mit ihm in der Mitte, die Treppe hinuntergehen...

Seine Hand griff nach der Schublade. Er zögerte lange, ehe er sie herauszog.

Er war zu lange allein gewesen.

Jetzt war nichts da. Nichts.

Aufgeschlagen lag auf seinem Tisch: Comte, Philosophie positive.

Neben seinem Bett lag: L. Büchner: Kraft und Stoff.
Er hatte schon lange nicht mehr darin gelesen.
Es war ihm klar geworden: er hatte sich geirrt: er hatte sich täuschen lassen: er hatte zuviel Vertrauen gesetzt in sich selbst, in seine Freunde, in seine Zeit. Die Zeit hat ihn nicht angenommen. Nicht diese Zeit. Er wartete auf eine andere.

Mauerinschrift:
Die Einrichtungen desakralisieren
und sie dann zerstören.

Es gibt keine Revolution, es gibt nur revolutionäre Augenblicke. Diese müssen wir perpetuieren.
Das sagte er, als sie sich zum letzten Mal begegneten.

Ohne die Leidenschaft der Zerstörung ist die revolutionäre Tat undenkbar und unmöglich, weil es keine Revolution geben kann ohne rettende fruchtbare Zerstörung. Denn nur aus ihr und durch ihre Vermittlung erzeugen sich und entstehen neue Welten. Bakunin

Es hatte sich lange vorbereitet. Aber nun war es ganz plötzlich geschehen. Es hatte sich nichts verändert – und doch war seitdem alles anders geworden. Er war ohnmächtig den Dingen ausgeliefert, all den Dingen und Gegenständen, die um ihn waren, die ihn umstellten. Ihre Oberfläche verhöhnte ihn auf einmal, und jetzt wußte er, woher die Schwäche gekommen war, die ihn vorhin überfallen hatte. Es war nichts als die Oberfläche da, sie verwundete ihn tief, einfach dadurch, daß sie sich ihm zeigte, sich vor ihm entblößte und ihm damit alles andere verwehrte; sie stach zu...er war zum ersten Mal seit Tagen wieder ausgegangen, er hatte sich in eine Kneipe gesetzt und ein Bier bestellt...auch hier war es nicht anders, er sah nichts als die Oberfläche...er tastete mit der Hand über den Tisch, tapsig rutschte die Hand über Krümel, über eine Bierpfütze, einen Teller, einen Bierdeckel, über eine kraterförmige klebrige Fläche...er begann sie abzukratzen, versuchte die Fingernägel hineinzubohren, aber er drang nicht ein, wieder war die Oberfläche des Tisches da...er streckte den Arm aus, der Flasche entgegen, umfaßte den Flaschenhals mit der Hand, diese Hand, die nur das kühle, glatte, nasse Außen spürte... die Hand glitt den Flaschenhals hinunter, langsam, sie fühlte den Bauch der Flasche, die Rundung, die Weitung, die Verhöhnung durch Oberfläche, nichts weiter war es, was die Innenfläche seiner Hand berührte, er griff nach dem Glas, das danebenstand und zur Hälfte mit gelbem Bier gefüllt war, er griff mit beiden Händen nach diesem bauchigen glatten kalten Glas, er drehte es in seinen Händen, die Glätte des Außen wurde noch glatter, die Kühle der Fläche ging weg, durch die heftige Drehung teilte sich Wärme mit, er spürte es von außen, aber er drang nicht ein, nirgendwo drang er ein, er blieb draußen, bei allem, in allem blieb er draußen, war er draußen geblieben, das war es...

Er fühlte immer deutlicher, wie ihn die Oberfläche einschloß, er nahm die rechte Hand vom Bierglas und versuchte sie, zur Faust geballt, in die Öffnung des Glases hineinzuschieben, er wollte eindringen, nicht länger mehr nur das Außen, aber er spürte, wie er auch von innen nur das Außen des Glases erreichte. Er griff nach dem Teller, hob ihn in Augenhöhe, er blickte darunter, dann stellte er ihn mit einem Ruck wieder auf den Tisch, so heftig, daß es klirrte... und noch einmal nahm er das Glas in die rechte Hand, er sah jetzt, daß das Glas einen Sprung hatte, er umschloß es fest, von links schob er die linke Hand heran, auch diese legte sich um das Glas wo das Glas nur Glas war, und Finger kreuzten jetzt Finger, und Haut berührte jetzt Haut... aber er wollte tiefer in die Dinge eintreten, nicht länger mehr draußen sein, ausgeschlossen, er wollte es in sich aufnehmen, er wollte eindringen, ganz tief, und er drückte fest seine Hände zusammen bis das Glas splitterte, fast lautlos, weil seine Hände das Geräusch erstickten und die Scherben nicht auf die Tischplatte fielen, sondern sich in das Fleisch seiner Hände hineinbohrten... er sah, wie das Blut langsam in den Händen aufstieg und über die Finger tropfte, er spürte keinen Schmerz, er wußte auch nicht, ob er nun in die Dinge eingedrungen war oder die Dinge in ihn, er hätte es auch später nicht zu sagen gewußt, wenn ihn jemand danach gefragt hätte... einen Moment hatte er überlegt, ob er nicht die Hände aneinander reiben sollte und so die Scherben noch tiefer in das Fleisch hineintreiben, bis in die Venen, aber da war die Kellnerin vorbeigekommen, die ihn angesehen hatte und danach laut über die Tische schrie, und ein paar Leute kamen heran und stellten sich um ihn herum, und dann kam die Kellnerin mit einem Verbandskasten und legte auf die Wunden weißen Mull, und während eines langen Wortpalavers, das sie selbst ständig mit Ausrufen unterbrach wie: *Mein Gott Wie schrecklich Nein Nun ja Wenigstens vorläufig Was haben Sie da nur gemacht Wie furchtbar* umwickelte sie die Hände mit einer endlosen Gazebinde, und er sah, wie die Hände immer kleiner wurden und wie sich vor ihm Mull und Watte immer höher auftürmten...

Die Sprache der Anarchie ist handeln, willkürlich handeln, gegen die Logik verstoßen, die Ordnung der Syntax zerstören; anarchistisch sein, bedeutet gegen die Kausalität zu sein, für einen Augenblick den verhängnisvollen Kreislauf der Natur aufzuhalten: dieses Werden und Vergehen zu unterbrechen durch Zerstörung und Neubeginn.

ich bin mit der Bereitschaft zu tun was ich kann auf die Welt gekommen damals war das Gelände leer und öde nur ein paar Katzen stritten sich dem Beginn meiner langsamen zuerst nicht wahrgenommenen Entfremdung diese ganze Szenerie leer ohne Tiefe wie ein Alptraum wer hier steht weiß Jahr für Jahr erhebt sich der Fluß sagt immer ich brauche mir keine Gewissenssorgen zu machen eine rote Schramme an der Backe leuchtet wie ein dünner Mund bald aber sind sie wieder verschwunden und man hört in der mein Gesicht eines meiner früheren Gesichter gefangen hält diese Gegend hier und dieses Gespräch kommen mir vor wie ein Traum in den menschenleeren oder belebten Straßen je nachdem von den bevorstehenden Reformen und seinen Plänen zu sprechen anfing stöhnte sie ich habe meine Einkäufe immer selbst gemacht anscheinend haben sie keine Pferde mehr haben ihren Ölberg und auch auf ihrem Ölberg dürfen sie nicht einschlafen was ich jetzt vorlese ist die Antwort auf meine Frage

weitergegangen der endlose Roman bewegt wie eine Mühle dreht Geschichte zu Ende sah aus geilem Farrengewucher aus Gründen von fetten gequollenen und abenteuerlich blühenden Pflanzen die sexuellen Organe und Handlungen haben Bezeichnungen die aus dem Verfall stammen aus der besonderen Sprache der Erniedrigung

wärst du ein normaler Mensch demütig und gerecht würdest du den Henkern danken so daß der Mensch sein Leben im Einklang mit seinem voll entwickelten Wissen ordnen würde so daß er wieder fragen würde was gut und was böse ist

ich trug mich mit dem Entschluß ihn unschädlich zu machen und ihn in die Sphäre gewöhnlichen Wahnsinns hinauszuwerfen einziges Ziel daß ihre Hände sich streiften über den Taschentüchern ich lachte daß mir die Tränen in die Augen kamen wieder Zeit vergangen und wir haben wieder viel vergessen die Revolution erscheint als eine klare einfache Revolte eher das in Betracht ziehen was eine Person wirklich sieht

daß Macht und Schmutz sich unvermeidlich zusammentun ja diese zerbröckelnde Stimme hören wir nun von neuem

Er dachte darüber nach:
was er gelesen hatte; und was er erfunden hatte.

S. 7 Max Nettlau: *Michail Bakunin. Eine biografische Skizze.* Berlin 1901. Nachwort von Gustav Landauer.

S. 7 Walter Benjamin: *Der Sürrealismus.* Aus: *Über Literatur.* Frankfurt 1969.

S. 13 Oswald Wiener: *Die Verbesserung von Mitteleuropa*, Roman. Reinbek bei Hamburg 1969.

S. 14–17 Vera Figner: *Nacht über Rußland.* Berlin 1924.

S. 34 Richard Wagner: *Mein Leben.* Erste authentische Veröffentlichung. Herausgegeben von Martin Gregor-Dellin. München 1963.

S. 34 f. Aus dem Programmheft des Zürcher Schauspielhauses zur Uraufführung des ›Prometheus‹ von Aischylos/Heiner Müller, September 1969.

S. 40 f., 43 f. Aus den *Erinnerungen von Debagorij-Mokrijewitsch*, nur russisch im Manuskript gedruckt. Paris 1894.

S. 45 Max Nettlau: *Bakunin. Eine Biografie.* 3 Bände. London 1900. Handschrift. Nähere Angaben siehe Seite 49.

S. 49 A.a.O.

S. 52 A.a.O.

S. 57 A.a.O.

S. 61 Aus einem Polizeibericht aus Berlin vom 26. Juni 1849. (Akta wider den Literat Michael Bakunin. Vol. Ia. p. 65.) Zitiert nach *Bakunin*, Raubdruck 1969.

S. 67, 69, 71, 73, 75, 77, 79, 81, 83 *Michail Bakunins Sozial-*

politischer Briefwechsel mit Alexander Herzen und Ogarjow. Stuttgart 1895. Dort französisch. Neue deutsche Übertragung für diese Ausgabe von Christian Enzensberger.

S. 74 A.a.O.

S. 76 *Alexander Herzen, Werke, Band VI.* Zitiert nach *Briefwechsel* a.a.O.

S. 79f. A.a.O.

S. 83, 104 *Michail Bakunin, Gesammelte Werke, 3 Bände.* Berlin 1921–24. Herausgegeben von Max Nettlau.

S. 86 A.a.O.

S. 88 Wolfgang Koeppen: *Anarchie*. Aus: *Merkur*, Heft 250, Februar 1969. Mit Erlaubnis des Autors.

S. 96ff. Iwan S. Turgenjew: *Rudin*, Moskau 1855.

S. 101 Jean-Luc Godard: *Le petit soldat*, 1963.

S. 107f. Samuel Beckett: *Molloy*. Frankfurt 1954. Witold Gombrowicz: *Verführung*. Pfullingen 1963. Michel Butor: *Der Zeitplan*. München 1960. Jorge Luis Borges: *Borges und Ich*. München 1963. Jean-Paul Sartre: *Die Mauer*. München 1954. Johannes Bobrowski: *Levins Mühle*. Frankfurt 1964. Marie Luise Kaschnitz: *Beschreibung eines Dorfes*. Frankfurt 1967. Wolfgang Hildesheimer: *Tynset*. Frankfurt 1965. Jean Genet: *Wände überall*. Hamburg 1960. Nathalie Sarraute: *Zwischen Leben und Tod*. Köln 1969. Walter Benjamin: *Zur Kritik der Gewalt*. Frankfurt 1965. Alexander Solschenizyn: *Der erste Kreis der Hölle*. Frankfurt 1969.

S. 108f. Nathalie Sarraute: *Zeitalter des Argwohns*. Köln 1963. Thomas Mann: *Sämtliche Erzählungen*. Frankfurt 1963. Georges Bataille: *Der heilige Eros*. Neuwied 1963. Fernando Arrabal: *Schwarzes Theater*. Neuwied 1963. Herbert Marcuse: *Triebstruktur und*

Gesellschaft. Frankfurt 1967. Noam Chomsky: *Aspekte der Syntaxtheorie*. Frankfurt 1969. Konstantin Kavafis: *Gedichte*. Frankfurt o. J. Franz Kafka: *Briefe an Felice*. Frankfurt 1967. Jürgen Becker: *Ränder*. Frankfurt 1968. Max Horkheimer: *Kritische Theorie*. Frankfurt 1968. Christian Enzensberger: *Größerer Versuch über den Schmutz*. München 1968. Jean-Jaques Mayoux: *Über Beckett*. Frankfurt 1966.

Alphabetisches Gesamtverzeichnis der suhrkamp taschenbücher